PT・OTのための
測定評価シリーズ **5**

 Web動画付き

バランス評価

観察と計測

症例収録 **第2版新装版**

監修
伊藤俊一

編集
星　文彦
隈元庸夫

三輪書店

● 第1版　監修　福田　修　編集　星　文彦, 伊藤俊一
　　　　執筆　星　文彦, 伊藤俊一, 隈元庸夫, 久保田健太

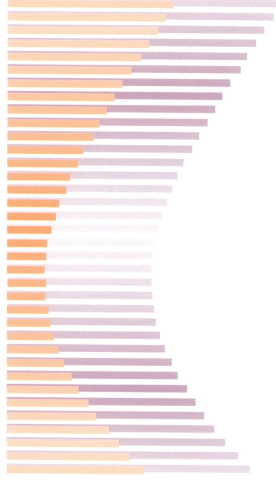

監　修　**伊藤俊一**
　　　　北海道千歳リハビリテーション大学

編　集　**星　文彦**
　　　　埼玉県立大学

　　　　隈元庸夫
　　　　北海道千歳リハビリテーション大学

執　筆　**星　文彦**
　　　　埼玉県立大学

　　　　隈元庸夫
　　　　北海道千歳リハビリテーション大学

　　　　世古俊明
　　　　北海道千歳リハビリテーション大学

　　　　久保田健太
　　　　北海道千歳リハビリテーション大学

【映　像】有限会社写楽
【撮　影】酒井和彦
【撮影協力】北海道千歳リハビリテーション学院

第2版の監修のことば

　理学療法および作業療法評価は，観察・問診にはじまり，検査・測定，統合・解釈，問題点抽出，治療方針および治療プログラム立案，介入，再評価（介入効果の判定），と続く一連の思考過程で客観的判断を下す根幹をなします．

　したがって，理学療法および作業療法評価には，評価自体の標準化，評価値の信頼性・妥当性，臨床で簡便にできる実用性が不可欠です．しかし，理学療法・作業療法評価自体では，必ずしも客観的評価ばかりでなく主観的評価も混在する，評価結果の統合・解釈が療法士間で一致しない場合もあるなど，その標準化や定型化がきわめて難しいとされてきました．

　本シリーズは，臨床での評価精度とその学習効率を向上させることを目的として，2006年からシリーズ1「ROM測定」，シリーズ2「形態測定・反射検査」，シリーズ3「MMT―頭部・頸部・上肢」，シリーズ4「MMT―体幹・下肢」，シリーズ5「バランス評価」，シリーズ6「整形外科的検査」，シリーズ7「片麻痺機能検査・協調性検査」と，実施される機会の多い評価法に対しての測定精度の向上と解釈に関して，常に信頼性と妥当性を意識して制作してきました．

　そのため，DVD*を付属して実際の評価場面を示しました．同時に諸注意や代償運動に関して明示し，評価技術と評価結果の捉え方が一定のレベルを担保できるように心がけてきました．さらにシリーズ7からは，実際の患者さんでの評価場面も加えて，よりわかりやすく評価が実施できるように編集し，これまでに多くの読者に支持をいただいております．

　今後も，本シリーズは最新の情報とエビデンスを取り入れ，評価結果に基づいた客観的リハビリテーション医療が展開されることで，リハビリテーション医療の対象の方々により質の高い結果が還元されることに寄与していきたいと考えております．また，療法士を目指す学生の実践学習ツールとして，活用されることを期待しております．

　最後になりますが，読者の皆様にお礼申し上げるとともに，制作に多大なご理解とご協力をいただいた三輪書店の青山智氏ならびに濱田亮宏氏に心から感謝申し上げます．

2016年3月

北海道千歳リハビリテーション学院　伊藤俊一

＊出版者注：DVDは第2版新装版（2024年3月1日発行）よりWeb動画に変更となりました．

第1版の監修のことば

　臨床での問題解決のためには，対象者の身体状況を可能な限り客観的に抽出し，その検査・測定値を正確に解釈して，介入方法を決定・変更することが必要となります．したがって，効果的な理学療法・作業療法の施行のためには，より再現性が高く安全な評価は不可欠です．

　元来，セラピストはその多くの評価を徒手や観察で行うことが多く，その評価結果を他職種へも共有させていけるだけでなく，対象者へもきちんと説明・還元できなければならないのです．しかし，近年の多くの科学的知識の氾濫に比して，徒手や観察による身体状況の検査・測定値の妥当性や信頼性を高めるための評価技術に関しては，臨床実習や卒後教育まかせになっている，さらに地域や病院間で測定方法が違う，評価方法が違うといった声も少なくありません．

　本シリーズでは，セラピストの評価精度を少しでも向上させるためにという趣旨にのっとって，検査・測定技能の中でも特に重要と考えられる項目を選択し，基本的な従来からの方法を見直しながら技術の確認を重視し，DVDを付属させて制作しました．何年も前から，当学院の教員たちからも"もっと実技指導に役立つ教科書があったら"といわれておりましたが，このような形で発刊に漕ぎ着けることができました．本シリーズの制作にあたっては，三輪書店の青山智氏，濱田亮宏氏より多大なご支援をいただきました．心から感謝申し上げます．

　本書が，学生の評価学演習・実習をはじめ，多くの臨床でも活用され，評価にはじまり評価に終わるとされたセラピストの検査・測定技能を一定レベルに担保するための一助となれば監修者にとって望外の喜びです．

2008年9月

北海道千歳リハビリテーション学院　福田　修

第2版の序文

　第1版では，姿勢制御やバランス機能の解釈と説明として，神経生理学における反射階層理論の立場から捉えた姿勢反射反応とダイナミックシステム理論の立場から捉えた運動戦略，生体力学の立場から捉えた支持基底面と身体重心の合目的関係，動作課題の遂行能力の立場から捉えた機能的バランスなどを取り上げ，バランス評価に関連する用語について整理し，さらにそれぞれの立場からバランスを評価するための観察の仕方を健常成人が示す姿勢応答や寝返り，起き上がりなどの自発運動における運動パターンなどを動画で示しながらバランス機能の理念型について解説を試みました．
　第2版では，総論においてバランス機能を日常の生活場面における時系列事象と捉え，周囲の環境認知からバランス障壁回避戦略の発起，障壁回避運動の制御，さらに障壁回避運動の失敗に対する対応として，予期的・予測的・応答的な各姿勢制御について解説し，バランス機能の解釈について再検討を行いました．その観点から，各論においては動作中のバランス評価に主眼をおき，寝返りや起居・移動動作におけるバランス機能という視点からの動作分析の仕方や観察のポイントについて健常成人を対象に動画で解説しました．そして，本書では第1版から一貫して示してきましたバランス評価の多様な視点，姿勢反射反応，運動戦略，生体力学，動作課題の遂行という視点からの評価の仕方や観察のポイントについて，脳卒中片麻痺者の症例に対するバランス検査の実際を提示し，バランス機能について理念型との比較をしながら解説を試みました．
　臨床実習においてバランス評価を行う場合，学生の多くは以下のようなことに悩み，バランス評価がうまくできないと臨床実習指導者に指摘されることが多いように思われます．
　①どのくらいの強さで外乱を加えればよいのか．
　②どのような反応がよくて，どのような反応が問題なのか．
　③どのような動作課題を選択したらよいのか．
　④どのような運動パターンがよくて，どのような運動パターンが問題なのか．
　⑤何をあるいはどこを観察したらよいのか，観察のポイントは何か．
　⑥安全管理はどのようにすればよいのか．
　本書では，そこで，以上の疑問を解決すべく，患者の反応や自発運動の何がよくて何が問題かを，立ち直り反応や平衡反応，予測的姿勢調整，運動パターン，支持基底面と身体重心軌跡の推定などをキーワードとし，観察すべきポイントを示しました．
　本書が，臨床実習においては学生と臨床実習指導者の，臨床の場においてはセラピスト間の観察のポイントや評価基準の共有化の一助になれば幸いと思います．なお，症例の動画を提示するにあたり，ご協力をいただきました患者様ならびに北樹会病院のスタッフの皆様に心から感謝と御礼を申し上げます．

2016年3月

埼玉県立大学保健医療福祉学部　星　文彦

第1版の序文

　中枢神経疾患の主要な機能評価として，姿勢反射反応検査やバランス機能検査，動作分析などがあげられます．動作の遂行には姿勢制御能力あるいはバランス機能が必須であり，姿勢反射反応検査およびバランス機能検査は，それらの評価指標として，その重要性が周知されているところです．しかしながら，学生にとって姿勢制御やバランス機能に関する捉え方は，運動発達の過程や成熟した機能，傷害を受けた機能など，さまざまな視点や場面で異なり，事象の見方や説明，解釈にたいへん苦労をする事柄の一つであるといえます．もう一つ，学生が苦労する点として姿勢反射反応検査およびバランス機能検査，動作の観察において，瞬時に変化する姿勢の観察すべきポイントをみつけられないことがあげられます．

　本書では，姿勢制御やバランス機能の説明と解釈として，神経生理学における反射階層理論の立場から捉えた姿勢反射反応と，ダイナミックシステム理論の立場から捉えた運動戦略，生体力学の立場から捉えた支持基底面と身体重心位置の合目的関係，動作課題の遂行能力などをあげ，バランス評価に関連する用語について整理をしました．

　また，姿勢制御能力やバランス機能を評価するための基本的な観察の仕方を，健常成人が示す外乱刺激に対する姿勢応答と寝返り，起き上がり，四肢挙上などの自発運動における運動パターンなどを動画として提示し，バランス評価の観点から説明を試みました．さらに，姿勢反射反応の視点から立ち直り反応と平衡反応，運動戦略と生体力学の視点から股関節戦略や足関節戦略，予測的姿勢制御など，外乱や自発運動における姿勢応答および動作課題遂行の視点から主要な機能的バランス検査法を提示しました．

　本書で提示しました健常成人が示す姿勢応答や運動パターンを理念型として理解することは，臨床場面での姿勢制御能力やバランス機能評価における問題の発見や抽出の根拠，あるいは基準となるものと思います．

　また，本書は姿勢制御のメカニズムを理解するための基礎的知識と観察視を養ううえで，理学療法士，作業療法士養成カリキュラムの一科目である運動学実習の補助教材として利用できるよう編集しました．

　本書で提示した姿勢制御やバランス機能の捉え方と観察する視点が，臨床実習における学生と臨床実習指導者との間の学習媒体として，あるいはセラピスト間のコミュニケーション媒体としての役割を果たすことができれば幸いであります．

2008年9月

埼玉県立大学保健医療福祉学部　星　文彦

Contents

第1章　総論

1. バランスとは　2
2. 身体運動におけるバランスとは　2
3. バランスの3つの視点　2
4. バランスの3つの時系列事象　4
5. バランス障害の捉え方　6
6. バランス評価　6
7. バランス評価の実際　7
8. 検査測定の注意　12

第2章　用語の定義

1. 姿勢—構えと体位　14
2. 姿勢—定位と安定性　16
3. 身体重心と支持基底面　18
4. 圧力中心と質量中心，身体重心との関係　24
5. 立ち直り反応と平衡反応　27
6. 予測的姿勢調整　32

第3章　機能評価と検査

バランス機能の3つの視点　36

I．反射階層理論の視点

①立ち直り反応

1. 姿勢保持にみられる立ち直り反応　37
2. 動作中にみられる立ち直り反応　40
3. 外乱応答にみられる立ち直り反応　47

②平衡反応

1. 傾斜反応（床面傾斜）　51
2. パラシュート反応・防御反応（水平外乱刺激）　65

II．運動戦略・生体力学の視点

1．外乱に対する立位姿勢維持　72
2．外乱に対する端座位姿勢維持　81
3．自発運動における姿勢維持　85

III．課題遂行の視点—機能的バランス検査

1．バーグ・バランス・テスト　96
2．機能的リーチ・テスト　99
3．立って歩け時間計測検査　101
4．継ぎ足歩行検査　103
5．3メートル椅子間歩行　105
6．2ステップ・テスト　107
7．30秒椅子立ち上がりテスト　110
8．星形ステップ・バランス・テスト　114
9．ショート・フィジカル・パフォーマンス・バッテリー　117

IV．動作中のバランス評価

1．4つの観察ポイント　124

第4章　バランス評価の実際

1．臨床における観察と分析（症例動画）　164

本書の使い方

◎動画をご覧ください◎

機能評価と検査　4　III．課題遂行の視点—機能的バランス検査　継ぎ足歩行検査

I　目　的

継ぎ足歩行検査（tandem gait test）は、小脳症候群（cerebellar syndrome）の機能診断に用いられる検査である．軽度の失調性歩行障害を診断する時に行われる．

II　検査方法

2メートル程度の線を引き、その線上で片側の足先に反対側の踵をつけた継ぎ足立位をとらせ、次にそのまま片側の足先に反対側の踵を交互につけ、継ぎ足歩行をするように指示す

第1章 総論

総　論

1 バランスとは

　バランスは，釣り合いや均整を意味し，バランスのとれた姿勢は，安定性や機能性，美しさを表象する．物体においては，正三角形や正三角錐のように下部や接地面が広く対称的な形を安定性がよいという．これは，美的あるいは視覚的バランスという．物体が静止している場合，物体に外力が加わっても動かず静的平衡が保たれている状態も安定性がよいという．これは，物体が静止している時の力学的バランスのよさであり，静的バランスという．一方，物体が一定の速度で移動したり，ある一定の軌道を保ちながら移動したりしている時に，物体に外力が加わってもその速度や軌道に変化が生じず，動的平衡が保たれている状態を動きが安定しているという．これは，物体が運動している時の力学的バランスのよさであり，動的バランスという．

2 身体運動におけるバランスとは

　身体運動おけるバランスは，姿勢を維持したり動作を遂行したりする場合に，静的平衡や動的平衡を維持する能力として定義できる．立位を維持したり，立位で外乱が加えられても転倒することなく立位を保ったり，椅子から立ち上がったり，歩行中に障害物をまたいだり，いろいろな条件下で姿勢を維持し動作を遂行する能力がバランスである．バランスは，頭部や体幹，上肢，下肢の上下左右の位置関係と静的安定性，動的安定性を総合的・包括的に表現し，課題に対して適応している様ともいえる．また，バランスは姿勢変化，言い換えれば運動学（kinematics）で記述でき，その姿勢変化の要因や根拠を説明する場合，生理学的視点や生体力学的視点，課題指向に基づくシステム論的視点などから説明される．生理学的視点では，立ち直り反応や平衡反応，予測的姿勢調整という用語で説明される．生体力学的視点では，支持基底面と身体重心位置および姿勢における体節配置などで説明される．システム論的視点では，環境と課題条件に適応するための運動戦略として説明される．

3 バランスの3つの視点

1）生理学的視点

　生理学的視点では，立ち直り反応や平衡反応，予測的姿勢調整という用語で説明される．神経疾患に対する理学療法の理論においては反射階層理論としても説明され，それらの欠損は神経疾患の症候障害学における陰性徴候として診断の指標となっており，理学療法評価においては起居移動動作障害の要因である機能障害の一つとしても問題提起される．

2）生体力学的視点

　生体力学的視点では，支持基底面と身体重心位置および姿勢における体節配置などで説明される．静的バランスおよび動的バランス下において，身体が床面に接している支持基底面

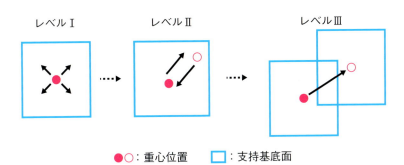

●○：重心位置　　□：支持基底面

図1　支持基底面と身体重心位置投影モデル

内に身体重心位置が投影されている場合，静的安定性および動的安定性が保証される．また動的バランス下においては，一時的に支持基底面内から身体重心位置の投影点が逸脱しても，動作の終了時点で最終的に支持基底面内に身体重心位置が投影されることにより動的安定性は保証される．生体力学的視点において，バランスは身体重心位置が支持基底面へ投影される諸相から，次の3つの段階にモデル化できる（**図1**）．

レベルⅠ：支持基底面が変化しない一定の支持基底面内の位置に身体重心位置を投影維持できる能力；例）静止立位を維持する能力．

レベルⅡ：支持基底面が変化しない一定の支持基底面内の範囲で身体重心位置を変化させて投影維持できる能力；例）静止立位において，外乱刺激に対して立位を維持する能力あるいは自ら身体を前後左右へ傾け，元の姿勢に戻れる能力．

レベルⅢ：支持基底面を変化させ新たな支持基底面内に身体重心位置を投影できる能力．または，支持基底面の変化に追随しながら身体重心位置を変化させ，支持基底面内に身体重心位置を投影できる能力；例）静止立位において，強い外乱刺激に対して一歩踏み出して立位を維持する能力あるいは片脚で立位を維持する能力．

3）システム論的視点

システム論的視点では，環境と課題条件に適応するための運動戦略として説明される．システム論では，ヒトのバランスは，ある環境下で求められる運動課題に適応するために中枢神経系に内在する多くの複雑な要素（神経構造と機能）が相互に作用し発現する創発特性であると仮定する．例えば，静止立位を保つことを前提に，床を前後方向へスライドさせる刺激を与えた場合，床が足底面積より広い通常の床に立っている時と足底の長さより狭い角材の上に立っている時では，その姿勢応答は異なり，前者では足関節周囲の筋より活動を開始する応答を示し立位を維持するが，後者では股関節周囲の筋より活動を開始する応答を示し立位を維持する．このような発現する運動パターンの相違は運動戦略の違いとして説明され，神経系が多様なサブシステムから構成される一つのシステムとして環境や課題の違いに対応

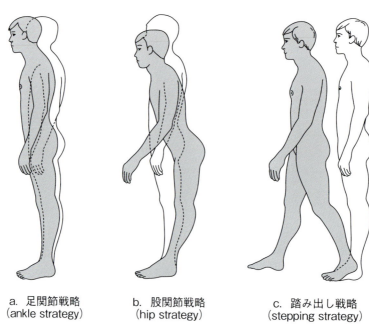

a. 足関節戦略
（ankle strategy）

b. 股関節戦略
（hip strategy）

c. 踏み出し戦略
（stepping strategy）

図2　外乱刺激に対する3つの姿勢運動戦略（文献1）より一部改変引用）

し機能することを意味する．臨床場面では，立位バランスのシステムモデルとして，外乱刺激の強さや速さなどの違いにより発現される運動戦略が，足関節戦略，股関節戦略，踏み出し戦略の3つに分類されている（**図2**）．

4 バランスの3つの時系列事象

　バランス障害は，立ちしゃがみや方向転換，歩行中のつまずきや滑り，階段での踏み外しなど具体的な運動行動中に顕在化する．顕在化するバランス障害の事象は，時系列的に3つに区分できる．1つ目は，歩行路前方にある障害物に気づかず，障害物を回避できない場合，2つ目は障害物に気づき，障害物を跨ごうとしたが十分に足を上げられない場合，3つ目は跨ごうとした足が障害物にぶつかった時に対応できない場合である．この3つの事象は，1つ目を予期的制御（proactive control mechanism）の問題，2つ目を予測的制御（predictive control mechanism）の問題，3つ目を応答的制御（reactive control mechanism）の問題として区別される（**図3，4**）．1つ目の予期的制御は，視覚情報から環境を把握し，過去の経験に基づき，どのように障害を回避するか行動計画を立てることである．2つ目の予測的制御は障害回避運動として足を高く上げたり，歩行軌跡を障害物から遠ざけるように大きく体位を変えたり，身体重心位置を前もって大きく偏位させる，いわゆる予測的姿勢調整に関わるものである．3つ目の応答的制御は回避運動の予想が外れ，大きく姿勢が崩れた場合に手足を広げたり踏み直りをしたりすることである．バランス障害が，この3つのどこの事象にみられるかを評価することが日常の生活活動の観点から臨床場面では重要である．

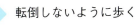

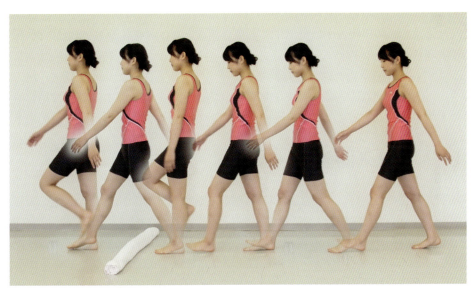

図3 バランス制御の3つの時系列事象

図4 跨ぎ動作における予期的・予測的制御
　障害物をみて，足先のクリアランスの高さを調整する

5 バランス障害の捉え方

　ヒトは，バランスという観点からみると，基本的にニュートン力学に従い，物体と同じように質量中心（身体重心）が床に接している支持基底面外に逸脱すると転倒する．しかし物体と違い，ヒトは感覚入力と運動出力のメカニズムおよび柔軟性が備わっており，簡単に身体重心が支持基底面から逸脱することはない．

　前述したように，バランス能力は支持基底面と身体重心の支持基底面への投影という観点から，レベルⅠ（静止姿勢を維持できるレベル），レベルⅡ（支持基底面が変化しない状態で，自発的に運動したり，外力が加わったりしても姿勢を維持・復元できるレベル），レベルⅢ（強い外力が加わった時や移動するために一歩踏み出し，支持基底面を変化させて姿勢を維持・復元できるレベル）の3つのレベルにモデル化できる．

　通常，ヒトは身体活動を行う場合，支持基底面内に身体重心を投影しバランスを維持している．また，歩行のようにダイナミックな身体活動を行っている場合でも，遊脚後期などで一時的に身体重心が支持基底面外の範囲にあっても，両脚支持期や運動が停止した時には支持基底面内に身体重心を投影し，結果としてバランスを維持し転倒を防止している．バランス障害は結果的に支持基底面内に身体重心位置を投影維持できないことであり，種々の運動課題を遂行するうえで顕在化する共通の概念であり，機能的制限（functional limitation）という障害レベルに相当する．その障害をもたらす要因は，身体内の各システムと環境ならびに求められる課題の関係性の中に見出すことができる．身体内の各システムは，関節の可動性，筋力などの筋骨格系システムと神経系における感覚システム，神経筋協同収縮システム，予測的システム，適応システム，感覚戦略システム等が仮定されている（**図5**）が，これらの各システムをそれぞれ改善調整すると同時に課題と環境に適合できるように総合的な全体的機能として改善を試みることに，理学療法におけるバランス機能の治療の目的がある．

 ## 6 バランス評価

　バランス障害の評価は，第一にバランス機能が要求される課題における遂行の程度を評価すること，つまり機能的制限の評価である．例えば，バーグ・バランス・テスト（Berg balance test），機能的リーチ・テスト，立って歩け時間計測検査（timed up and go test），継ぎ足歩行検査（tandem gait test），10メートル歩行テスト，床からの立ち上がりや椅子からの立ち上がり検査，外乱を加えるストレステストや運動戦略検査など，さまざまな検査ツールを利用することが可能であるが，課題の遂行度の計測と頭部・体幹の立ち直りや頭部・体幹・四肢の運動の順序性など運動パターンの観察が治療に生かすためには重要である．またそれぞれの検査ツールの特徴や特異性を理解したうえで用いることが重要である．第二に，機能的制限であるバランス障害を呈する要因となっている機能障害の評価である．これは，個体の各システムの評価となる．例えば，関節の可動性，筋力，感覚，運動麻痺，筋緊張，姿勢反射・反応，協調性，認知・注意など，疾病に基づく症状や機能障害に関する検査および観察であ

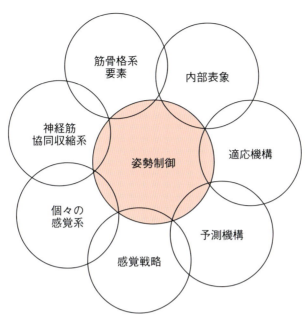

図5　姿勢制御のシステム（文献1）より一部改変引用）

る．第三は，これらの特異的なバランス障害をもった個人の生活環境に対する適合度合（あるいは不適合度合）の評価である．これは，いわゆる活動制限（activity limitation）の評価で，機能的自立度評価法（FIM：functional independence measure）や Barthel index などの日常活動の検査ツールを利用することができる．さらに社会的あるいは家族的役割などの参加制約（participation restriction）の評価を行う．

　理学療法としては，前述した第一，第二の評価をとおして，支持基底面と身体重心投影モデルにおける3つのレベルのどの段階が問題なのかを明確にすることが，理学療法の介入の仕方，いわゆる治療プログラムを立てる時に重要となる．

7 バランス評価の実際

　バランスの評価には，動作観察による方法（motoscopy）と課題遂行能力を定量的に計測する方法（motometry，motography）がある．例えば，運動療法介入の具体的手法の考案には，動作観察による評価方法が重要であるが，介入効果の判定と説明およびデータ集積のためには，定量的な課題遂行能力の計測が必要である．

1）動作観察による方法

　観察すべきポイントを次に示す．
　　a．運動はどこから開始されるか
　一般的に目的方向へ視線・頭部が向き，その動きに追随するように運動が伝播してゆく．

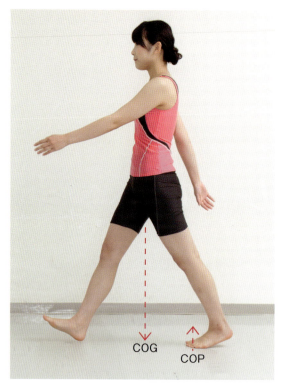

図6 歩行中のCOGとCOPの関係

寝返りの場合，目的方向へ視線・頭部を向けたあと体幹下肢が追随する．下肢から寝返る場合があるが，その場合も下肢の運動に骨盤や体幹が追随して運動が進行する．このように，先行する身体の一部に追随して体幹の回旋運動が伝播してゆく様相は，動作中にみられる立ち直り反応として観察できる．

b．支持基底面は維持されているか

臥位以外では，四肢で体重を支持する抗重力位を必須とするため，体重を支える力と支持基底面が確保されなければならない．

c．身体重心の軌跡の推定および身体重心が支持基底面内に投影されているか

移動においては，支持基底面の変化とともに身体重心も支持基底面内に投影されるように移動していく．逆に身体重心の移動に追随するように支持基底面が変化していく．身体重心が支持基底面内に維持されているかどうかを観察するためには，重心位置を姿勢（体位と構え）の変化ごとに順次推定することが必要である．歩行中の初期接地直前や周期性のある慣性を利用するような運動中には，身体重心は支持基底面内に投影されないことに注意する必要がある（**図6**）．

d．抗重力位の姿勢が維持されているか

空間での移動には，抗重力方向への頭部や体幹の立ち直りと体重を支える四肢の支持力が必要である．例えば，歩行においては体重を支えている支持脚側身体の抗重力方向への伸張

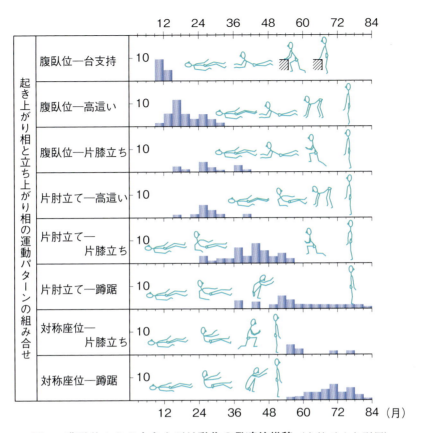

図7　背臥位からの立ち上がり動作の発達的推移（文献2）より引用）

（伸び上がり），いわゆる立ち直りが必要である．座位や膝立ち，立位などでも，左右への重心移動が生じた場合，支持側身体部位の抗重力方向への伸張（伸び上がり），いわゆる立ち直りの状態を観察することが大切である．

2）立ち上がり動作の観察分析によるバランス評価

　背臥位からの立ち上がり動作および椅子からの立ち上がり動作は，支持基底面が広く身体重心が低位にある安定した姿勢から，支持基底面が狭く身体重心が高位に位置する立位姿勢への姿勢変化，動作であり，バランス能力が要求され，バランス評価の重要な対象動作である．

　背臥位からの立ち上がり動作および椅子からの立ち上がり動作については，発達年齢によりその運動パターンが系統化されている．背臥位からの立ち上がり動作は，10カ月から7歳ごろまでに年齢的推移が認められている（**図7**）．

　背臥位からの立ち上がりの運動パターンは，起き上がり相と立ち上がり相に分けて理念型としてモデル化されている（**図8**）．背臥位からの立ち上がり動作の発達過程は，身体の筋力や姿勢制御機構の成熟により，起き上がり相では寝返りによる体幹回転運動（**図8a**）から体

第1章 総論

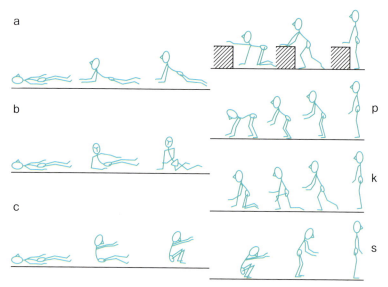

図8　背臥位からの立ち上がり動作の理念型（文献2）より引用）
a～p：1歳児，b～k：3歳半児，c～s：6歳児

幹の部分回旋運動（図8b），体幹の対称的屈曲運動（図8c）へ，立ち上がり相では台の支持により立ち上がる運動パターンから高這い位（図8p），片膝立ち位（図8k），蹲踞位により立ち上がる（図8s）運動パターンへ変化する．この運動パターンの推移は，より支持基底面が狭い姿勢に移行するとともに身体重心を高位へ移行させるバランス機能が要求される，合理的な運動パターンへの成熟を意味するものである．加齢や疾病に伴う機能障害により背臥位からの立ち上がり動作は，運動パターンが発達の過程を逆行するように退行していくため，立ち上がり動作の運動パターンの分析は運動発達を基準とする重要なバランス評価となる．背臥位からの立ち上がり動作の評価では，分析記録チャートを用いると便利である（図9）．

3）椅子からの立ち上がり動作の観察分析によるバランス評価

　椅子からの立ち上がり動作は，運動パターンの違いから運動相が体幹前傾相，離殿相，起立相の3つの相に区分される（図10）．殿部から足底までの広い支持基底面から足底のみの狭い支持基底面となる立位姿勢に移行するとともに身体重心を上方へ移行させるために，高度なバランス機能が要求される．椅子からの立ち上がり動作の発達過程については，1～4歳までの運動パターンの推移が示されている．1歳では体幹前傾相の体幹前傾角度が大きく，年齢とともにその傾斜角度は減少し，各運動相の時間的相対比率は年齢とともに体幹前傾相の比率が減少し起立相の比率が高くなる（図11, 12）．この過程は身体の筋力や姿勢制御機構の成熟により，身体重心の前上方へのより合理的な移行が可能になることを意味している．背臥位からの立ち上がり動作の運動パターン分析と同様に重要なバランス評価指標となる．

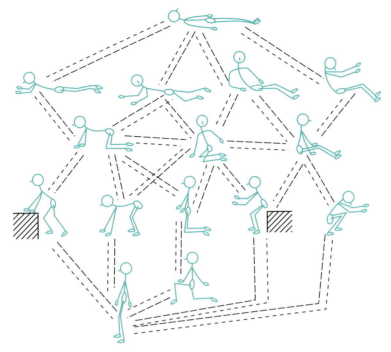

図9　背臥位から立位になるのに用いられる諸動作（文献2)より引用）

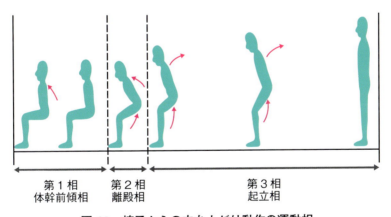

図10　椅子からの立ち上がり動作の運動相

4）課題遂行能力の計測による方法

　片脚立ち保持時間の計測，機能的リーチ・テスト，timed up and go test，バーグ・バランス・テスト，ロコモティブシンドロームや運動器不安定症の評価に用いられるテストなどのテストバッテリーを使用した計測記録方法である．それぞれ転倒リスクのカットオフ値などが発表されており，これらの値を参考に比較検討していく．それぞれのテストプロトコールに従って評価を行うが，前述した課題遂行中の観察分析を併せて行うことが理学療法介入のためには重要である．

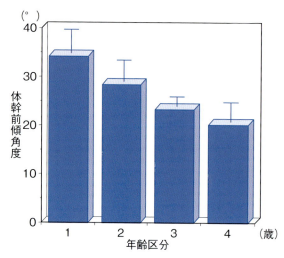

図11 第1相の体幹前傾角度の年齢推移
（文献3）より引用）

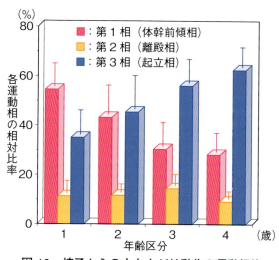

図12 椅子からの立ち上がり動作の運動相比率の年齢推移（文献3）より引用）

8 検査測定の注意

　バランス評価は，転倒を回避する機能を検査測定するものでありリスクを伴う．そのため，検査測定の目的や意味，実際の内容などの説明と同意を得ることが必要であり．同時に安全の確保のための環境整備と検者の心構え，および外力の加え方や観察力などの検査技能が重要となる．観察の不備を補うために検査時にビデオなどによる記録を併用することが推奨される．

　本稿では，写真および動画をとおしてそれぞれの捉え方について説明し，臨床評価において観察すべき点とバランス評価の実際を解説する．

【文　献】

1) Shumway-Cook A, 他（著），田中　繁，他（監訳）：モーターコントロール 原著第3版—運動制御の理論から臨床実践へ．医歯薬出版，2009, p155, 161
2) 中村隆一（監），對馬　均，他（編）：理学療法テクニック—発達的アプローチ．医歯薬出版，2004
3) 星　文彦：椅子からの立ち上がり動作パターンの発達過程について—1歳から4歳児を対象に．北海道大学医療技術短期大学部紀要　**7**：33-45, 1994

第2章 用語の定義

用語の定義

1 姿勢 ― 構えと体位

I 姿　勢

　姿勢(posture)は，身体全体の形を表す用語として用いられる．運動学の分野では体位(position)と構え(attitude)から構成される．

II 体　位

　ある姿勢における身体の基本面が重力方向に対してどのような位置関係にあるのかを示す用語である．身体の基本面が重力方向に対し平行な位置関係にあるか，垂直な位置関係にあるかが基本的な捉え方である．臥位や立位，座位などで表現される．

III 構　え

　ある姿勢における頭部や体幹，上肢，下肢などの体節間の相対的な位置関係を表す用語である．立位において，両上肢を体側へ垂らした機能的立位姿勢と右上肢を肩関節90°外転した立位姿勢は，体位が同じで構えが違う別個の姿勢と定義される(**図1，2**)．構えの変化は，運動分析における記述対象であり，重要な運動学的概念である．構えの言語的意味は，予想される事態に備えることであり，姿勢の意味を示しているともいえる．

第2章　用語の定義

構えと体位

機能的立位（図1）

右肩関節90°外転立位（図2）

用語の定義

2 姿勢 ── 定位と安定性

I 姿勢制御

　ある姿勢で課題を遂行するためには，姿勢を維持しなければならない．その姿勢を維持するための調整を姿勢制御（postural control）という．姿勢制御の分野では，姿勢を機能的な視点から定位（orientation）と安定性（stability）に区分する．

II 定 位

　ヒトは，ある環境下で要求された課題を遂行するために，その目的にかなう姿勢をとる．その機能的に決定された姿勢，いわゆる体位と構えを定位という．

III 安定性

　ヒトが，ある環境下で要求された課題を遂行するためにとった姿勢を維持する能力，あるいは維持する強さ，平衡を乱す力に対する抵抗を安定性という．

IV 姿勢と課題遂行

　図1は，立位でボールをキャッチするために頭部（視線）をボールに向け，両手をボールの方向へ伸ばし，ボールをキャッチしようと構えている．一方，下肢は転倒しないように足部を前後に開き，外力に対する平衡維持に効率的な構えをとって安定性を確保している．この姿勢は，立位で前方から飛んでくるボールをキャッチするという課題遂行のためにとった定位と安定性から構成された姿勢である．

第 2 章　用語の定義

定位と安定性（図1）

用語の定義

3 身体重心と支持基底面

I 身体重心（COG：center of gravity）

　身体重心は，身体全体の重さの中心である．直立立位におけるヒトの身体重心は，骨盤内で仙骨のやや前方に位置し，成人男性の場合は足底から身長の約 56％，成人女性の場合では約 55％の位置にある．これは，**図 1** のような方法で計測が可能である．ただし，身体重心は構えの違いにより変化する（**図 2**）．
　種々の姿勢における身体重心については，各体節の重心の総和として**図 3** のようにして推定することが可能である．

II 支持基底面（base of support）

　支持基底面とは，身体の床面に接している部分を直線で結んだ広さをいう．立位および杖をついた場合の支持基底面は**図 4** のようになる．

III 姿勢の安定性

　姿勢の安定性については，支持基底面が広く，身体重心が低く，重心の支持基底面への投影点が中央に位置するほうが安定性はよい（**図 5**）．身体重心が支持基底面から逸脱する点を安定性の限界（limit of stability）といい（**図 6**），重心の位置が安定性の限界を逸脱した場合，安定性を欠き転倒する．

身体重心の計測（図1）

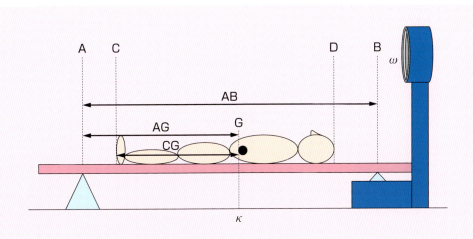

$AG × 体重(\kappa) = AB × 体重計(\omega)$　　　$AG = AB × 体重計(\omega) / 体重(\kappa)$

$CG = AG - AC$

＊CG：足底から身体重心までの高さ

構えの変化と身体の重心位置（図2）

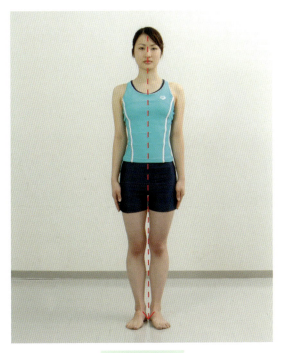

機能的立位

右上肢90°外転，体幹左側屈立位

第2章 用語の定義

身体における重心の推定（図3）

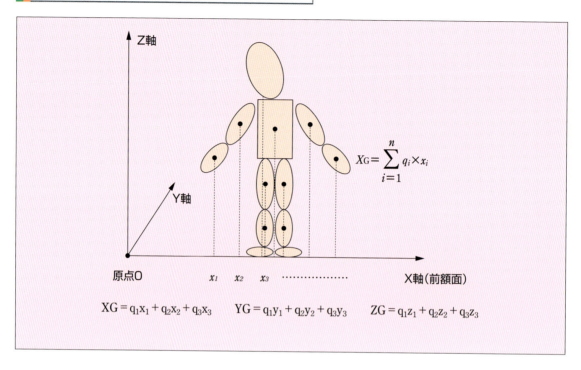

$$X_G = \sum_{i=1}^{n} q_i \times x_i$$

$X_G = q_1x_1 + q_2x_2 + q_3x_3$ $Y_G = q_1y_1 + q_2y_2 + q_3y_3$ $Z_G = q_1z_1 + q_2z_2 + q_3z_3$

支持基底面（図4）

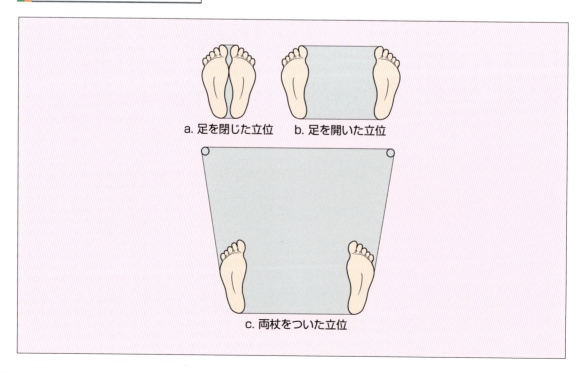

a. 足を閉じた立位　　b. 足を開いた立位

c. 両杖をついた立位

支持基底面と身体重心からみた姿勢の安定性（図5）

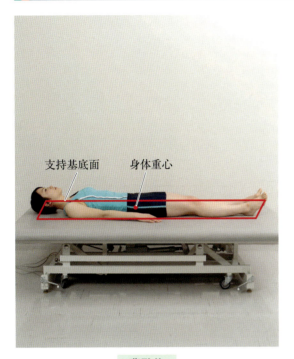

背臥位

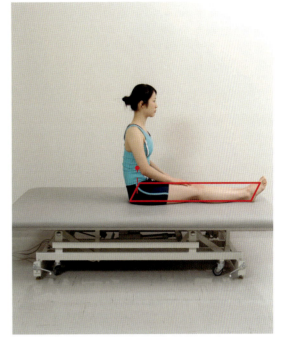

長座位

四つ這い位

高這い位

第2章 用語の定義

膝立ち位

片膝立ち位

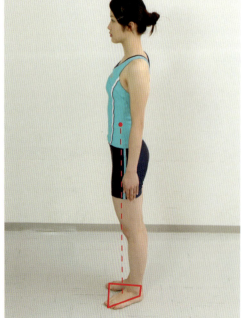

立　位

第2章 用語の定義

安定性の限界 (図6)

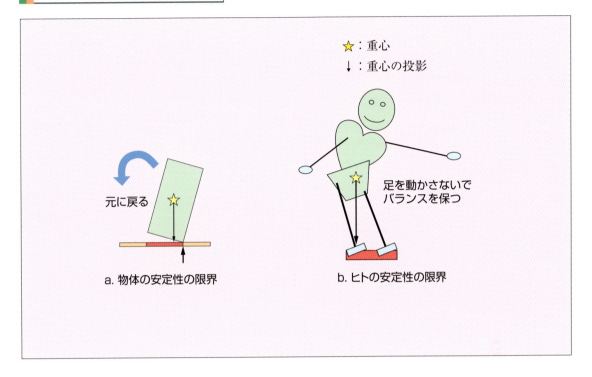

図6
a. 物体の安定性の限界
b. ヒトの安定性の限界

☆：重心
↓：重心の投影

元に戻る

足を動かさないでバランスを保つ

用語の定義

4 圧力中心と質量中心，身体重心との関係

I 質量中心

物体の質量がその点に集中しているとみなせる点，いわゆる質点を物体の（COM：center of mass）といい，物体の運動はその一つの質点の運動で代表できる．また重力環境下において，その物体を一点で支えることができる点を，物体の重心ともいう．

II 圧力中心

物体が床面上にある場合，その床面に生じる反力の中心位置を圧力中心（COP：center of pressure）といい，物体の質量中心が床面に投影された点である．

III 身体重心

身体重心（COG：center of gravity）は，物体の質量中心と同義語として用いられ，身体重心は身体の各体節，いわゆる頭部や体幹，四肢などの質量が均一ではないため，各体節の質量中心を合一した点，つまり重力環境下で身体を一点で支えることができる点や，つり合って静止できる点として求めることができる．

IV 重心と圧力中心の一致

通常，立方体が床面上に静止している場合，圧力中心は立方体の重心を立方体が接している床面上に投影した点と一致する．ヒトの場合も同様に，静止立体を維持している場合は，立っている床面上に身体重心を投影した圧力中心を身体重心として仮定する．なお，床反力計上で記録される圧力中心軌跡は身体重心の軌跡として扱う．

V 重心と圧力中心軌跡の相違

立位において，ゆっくり身体を前傾および後傾した場合の足圧分布と圧力中心軌跡は，ほぼ同じような偏位を示し，身体重心と足圧分布や圧力中心軌跡は，ほぼ一致していると仮定されている（図1）．一方，歩行中の踵接地直前や障害物を跨ぐなどのダイナミックな運動中は，床面上に位置する圧力中心と身体重心の床面上への投影点は一致しない（図2）．

身体の前傾および後傾の足圧分布（図1）

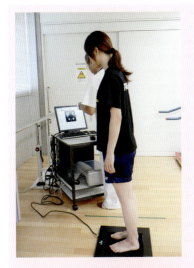
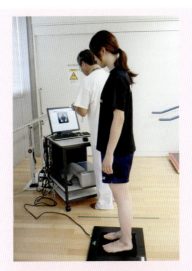
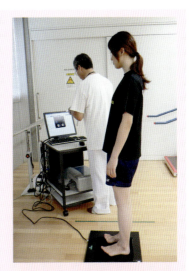

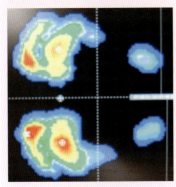
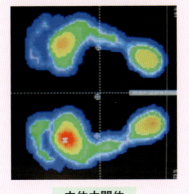
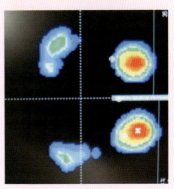

　　立位前方傾斜　　　　　　　立位中間位　　　　　　　立位後方傾斜

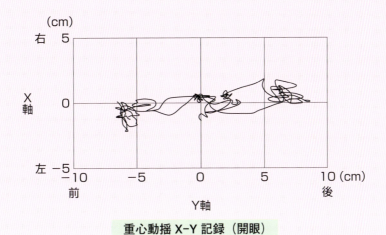

重心動揺 X-Y 記録（開眼）

第2章 用語の定義

COG と COP（図2）

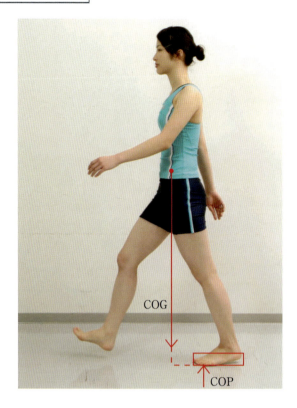

語の定義

5 立ち直り反応と平衡反応

I 立ち直り反応（righting reaction）

　立ち直り反応は，ある抗重力位姿勢を維持している時に軽い外乱が加わったり，自ら動作をしようとしたりする場合に，姿勢を正しい位置に戻そうとする一連の反応である．姿勢の正しい位置とは，頭頂部を天に向けて顔面の正中線が重力方向と一致している直立姿勢，および頭部・体幹・骨盤の位置関係が左右対称で一直線上に位置することをいう．

　図1は，端座位における座面の傾斜に対する立ち直り反応である．頭部・体幹の長軸が重力方向に一致していることが確認できる．

　図2は，寝返り動作中にみられる立ち直り反応である．頭部の回旋運動に続き体幹の回旋が起こり，頭部の回旋によって生ずる頸部のねじれを解消し，身体が一直線上に立ち直ろうとする一連の反応が確認できる．

II 平衡反応（equilibrium reaction）

　平衡反応は，ある姿勢が維持され，姿勢の平衡状態が保たれている時に急激な外力（回転性や直線性）が加わった場合に起こる一連の反応である．すなわち，姿勢の平衡状態を維持しようとする定型化された特徴的な運動反応が体幹および四肢に確認できる．体幹に起こる回転刺激に対する運動反応を傾斜反応（tilting reaction）といい，四肢に起こる直線刺激に対する運動反応をパラシュート反応（parachute reaction）という．しかし，本書では臨床場面での応用を考慮し，外乱刺激の相違に対する運動反応の違いという捉え方ではなく，次のような外乱に対する反応形式の違いとして区分することとする．

【傾斜反応】
　支持基底面の傾斜や身体に加わる外力（肩を押すなど）により姿勢平衡が乱れた時，外乱が加わった方向へ体幹を傾け，支持基底面内に身体重心を維持しようとする反応である（**図3**）．

【パラシュート反応】
　支持基底面の傾斜や身体に加わる外力（肩を押すなど）により姿勢平衡が乱れた時，新たな支持基底面を構成し，その支持基底面内に身体重心を再構築する四肢の反応である（**図4**）．

　なお平衡反応には，例えば直立位で肩を後方へ押されると，足関節と足指の背屈および両上肢の前方挙上が起こり，平衡を保とうとする四肢の反応も含まれるが，ここでは割愛した．

第2章 用語の定義

立ち直り反応（図1）

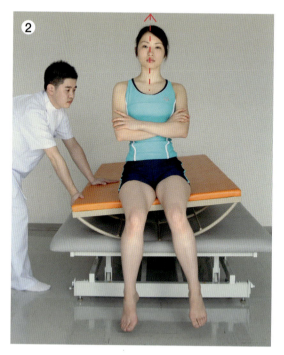
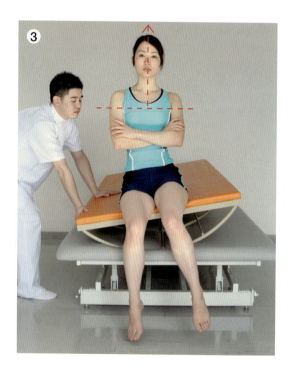

寝返り運動（図2）

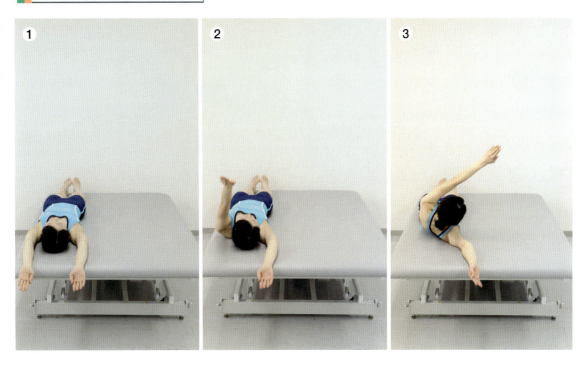
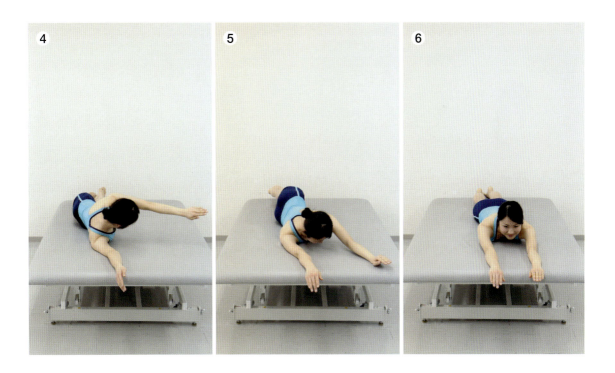

29

傾斜反応（図3）

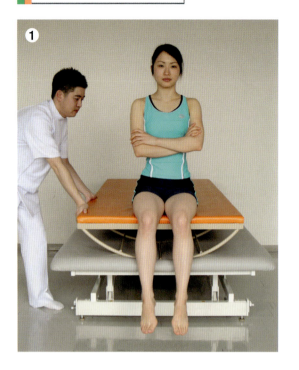

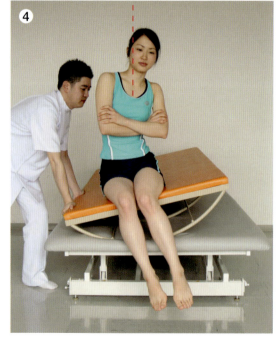

第2章 用語の定義

パラシュート反応（図4）

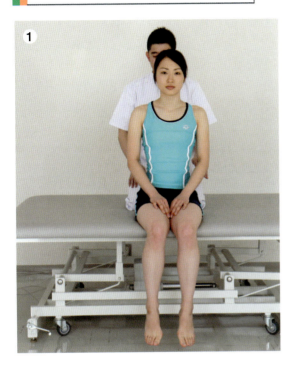
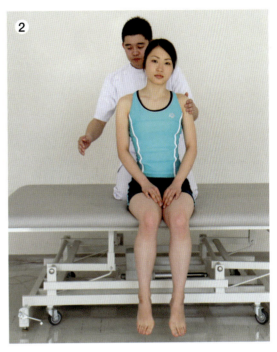
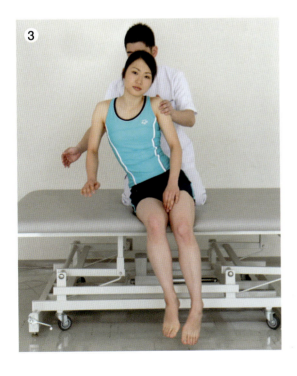
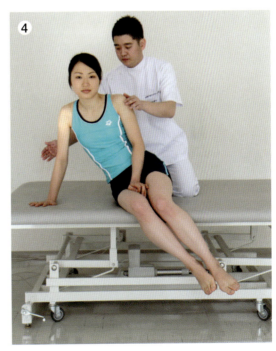

用語の定義

6 予測的姿勢調整

I 予測的姿勢調整とは

　予測的姿勢調整とは，意図的運動に伴い無意識に行われる姿勢調整をいう．この姿勢調整は，意図的運動により生じる姿勢の変化や姿勢平衡の乱れを予測して意図的運動が開始される前に行われる姿勢調整である．これは意図的運動に先行する反対側への重心移動や姿勢筋の活動として確認できる．**図1**は，直立位で左上肢を前方挙上した時の予測的姿勢調整の例である．左上肢前方挙上の主動作筋である三角筋活動に先行して，姿勢筋である同側の大腿二頭筋が活動していることを示している．両上肢を前方挙上した時の圧力中心(COP)と身体重心(COG)の前後方向への軌跡を**図2**に示した．COPが前方へ偏位するのに対して，COGが後方へ移動していることが確認できる．このような姿勢維持機構は，意図的運動の機能とは別個の機構として仮定されており，意図的運動をつかさどる目的運動性機構に対して支持的運動性機構といわれる．

II 動的支持

　運動が開始される前には，独特の姿勢あるいは構えが必要で，運動開始の姿勢(postural set)が定まることを動的支持(dynamic support)の状態にあるといい，その後に運動が開始される．

　臨床場面でよくみられる，片脚立ちができないとか，端座位で一側下肢を挙上できない，端座位で座面上において身体を支持している手を離せないなどという運動障害は，挙上運動に先行する予測的姿勢調整の障害によるものと考えられる．

【文　献】
1) Lee WA：Anticipatory control of postural and task muscles during rapid arm flexion. *J Mot Behav* **12**：185-196, 1980

一側上肢挙上運動時の予測的姿勢調整（図1）

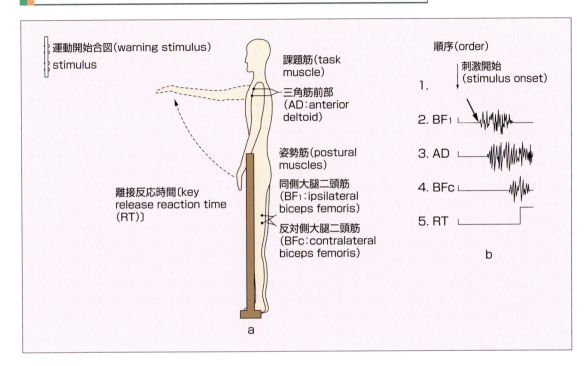

上肢前方挙上運動時のCOPとCOGの経時的変化（図2）

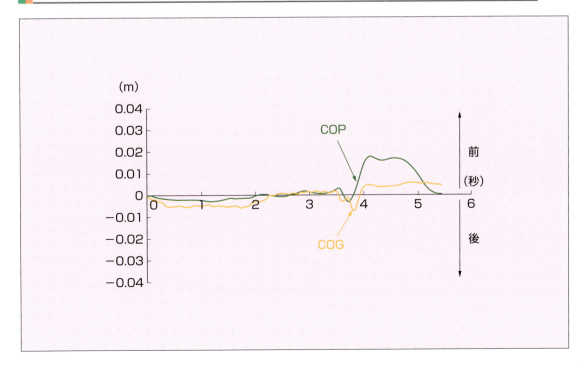

第3章 機能評価と検査

I 反射階層理論の視点
　①立ち直り反応
　②平衡反応
II 運動戦略・生体力学の視点
III 課題遂行の視点―機能的バランス検査

機能評価と検査

バランス機能の3つの視点

　姿勢の平衡を維持しようとする応答運動，いわゆるバランス機能は次の3つの視点から説明することができる．

I　反射階層理論の視点

　バランス機能は，反射の階層的機構が基礎となっており，脊髄レベルでの伸張反射や四肢間反射，延髄レベルでの四肢・体幹の筋緊張および構えを変化させる緊張性反射群，さらにそれらが発達に伴い統合された中脳や大脳レベルでの立ち直り反応や平衡反応が，外乱に対して姿勢を維持するための応答運動を構成していると説明される．例えば，中枢神経の損傷がある人は，これにより上位階層の崩壊を招きバランス機能に障害が出現する．なお本書では，健常成人のバランス機能に最も関連する立ち直り反応と平衡反応の見方について解説する．

II　運動戦略・生体力学の視点

　ヒトを一つの統合されたシステムとして捉え，要求されている課題と立っている床面の状況や加えられる外乱の質と量などの環境条件，さらに個人がもつ機能状態の3者の相互作用により自己組織化されたものという運動戦略の視点からバランス機能を説明することができる．また，その背景になっているバランスの概念は，身体重心と支持基底面の関係や固定（支持性）と可動（運動性）の関連，てこ，モーメントなど生体力学の原理による安定性の定義に基づいている．バランス機能は，不安定をもたらす条件が加わっても，支持基底面に投影した身体重心位置を支持基底面内に維持することであり，そのためには構えを変化させる運動が必要で，その運動が応答運動であり運動戦略である．バランス機能の障害は，課題と環境および個人の機能の3者がうまく適合していない状態と考える．本書では，バランス機能評価について運動戦略と生体力学の視点から解説する．

III　課題遂行の視点—機能的バランス検査

　バランス機能を具体的な日常の活動や，特定の運動課題の遂行能力として捉え，定量的に測定することができる．例えば，機能的バランス検査として，直立検査，継ぎ足歩行検査（tandem gait test），座位能力スケール，体幹・下肢機能ステージ，機能的リーチ・テスト（functional reach test），立って歩け時間計測検査（timed up and go test），3メートル椅子間歩行，バランスと移動の検査（balance and mobility assessment），バーグ・バランス・テスト（Berg balance test），など，いくつかのテストバッテリーが考案されている．これらのテストバッテリーは，バランス機能が要求される運動課題から構成され，課題遂行の可否や移動距離，所要時間などをパラメータとして定量的に測定しようとするものである．本書では，代表的な5つの機能的バランス検査について解説する．

姿勢保持にみられる立ち直り反応

I さまざまな立ち直り反応

　立ち直り反応は，反射の階層構造から捉えると，高位除脳動物（中脳動物）においては視覚・体表・迷路などの感覚器からの刺激により頭部が抗重力位をとるという姿勢変化として出現する．通常健康成人においては，背臥位や腹臥位で頭部から足部まで全身が床面に接しているような非抗重力位の姿勢をとっている場合は，立ち直り反応はみられない．

　われわれは，座位や四つ這い位，膝立ち位，立位など，さまざまな抗重力位の姿勢をとる時に無意識に頭頂部が天を向くように頭部から体幹が抗重力位となり，四肢で身体を支えるような姿勢変化を示す．本書では，この姿勢変化を立ち直り反応として解説する．

II 両肘立て位

　頭部から上部体幹が抗重力位となり，上腕で上部体幹を支えている．

III 片肘立て位

　頭部から上部体幹が回旋を伴い抗重力位となり，一側上腕で上部体幹を支えている．

IV 長座位

　頭部から上部体幹および骨盤が背筋を伸ばすように抗重力位となっている．

V 横座り位

　頭部から上部体幹および骨盤が回旋と伸展を伴い抗重力位となり，一側上腕で上部体幹を支えている．

VI 四つ這い位

　頭部が抗重力位，体幹は水平位を保ち，上肢および大腿部は身体を支えている．

VII 膝立ち位

　頭部から上部体幹，骨盤および大腿部が背筋を伸ばすように抗重力位となっている．大腿部および下腿部は身体を支えている．

VIII 立位

　頭部から足部まで抗重力位の姿勢となり，足部で身体を支えている．

第3章 機能評価と検査

立ち直り反応

両肘立て位

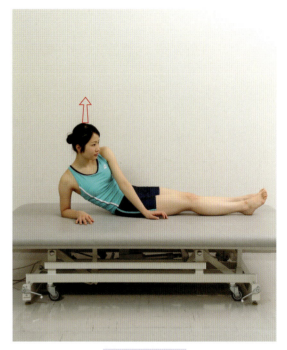

片肘立て位

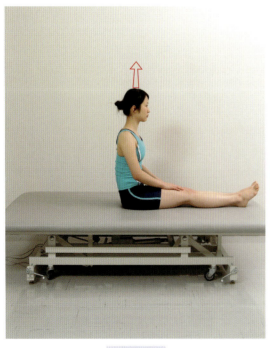

長座位

横座り位

第3章 機能評価と検査

四つ這い位

膝立ち位

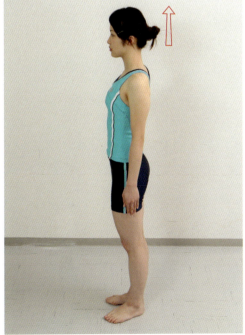

立 位

機能評価と検査 2
動作中にみられる立ち直り反応

I．反射階層理論の視点—①立ち直り反応

I さまざまな立ち直り反応

　一連の運動を反射階層理論から捉えると，反射の連続性（連鎖反射）として説明できる．例えば，ネコの背中を下にして落下させると，足を地に向けて着地する．これは，一連の立ち直り反応が関与した姿勢の変化である．迷路からの立ち直り反応により頭部が回旋し，その回旋に続いて上半身から下半身へと身体のねじれを解消するように連続して回旋運動が起こり，頭部の位置に基づいた左右対称な姿勢となって床に着地する．このように先行する体節に対して左右対称的な姿勢に戻ろうとする一連の反応を，動作中にみられる立ち直り反応という．われわれの日常動作においても，動作中の頭部の運動や位置に基づいて体幹や四肢の構えが変化する様子が観察される．本書では，さまざまな動作中にみられる立ち直り反応を頭部と体幹および四肢の運動の連続性と抗重力運動の観察から解説する．

II 寝返り動作

1. 頭部→上肢帯→体幹→骨盤の順で軸回旋運動が起こり，先行する体節への立ち直りが観察される．
2. 頭部の抗重力方向への立ち直りが観察される．

III 背臥位から長座位までの起き上がり動作

1. 頭部→上肢帯→体幹の順で軸回旋運動が起こり，先行する体節への立ち直りが観察される．
2. 頭部・体幹の抗重力方向への立ち直りが観察される．

IV 長座位から四つ這い動作

1. 頭部→上肢帯→体幹→骨盤→下肢の順で軸回旋運動が起こり，先行する体節への立ち直りが観察される．
2. 頭部・体幹の抗重力方向への立ち直り，および上肢・下肢での抗重力支持が観察される．

V 台からの立ち上がり動作

1. 頭部→体幹→下肢の順で抗重力方向へ立ち直りが観察される．
2. 下肢での抗重力支持が観察される．

第3章 機能評価と検査

寝返り動作

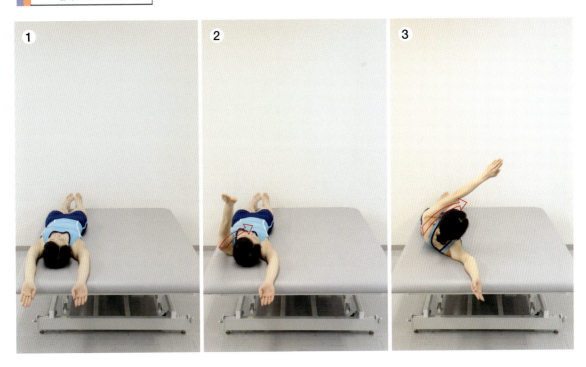

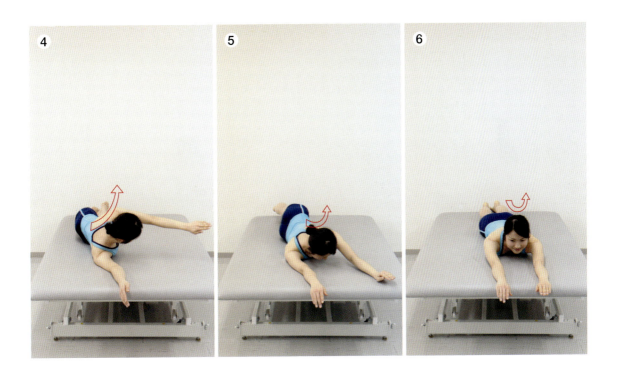

41

背臥位から長座位までの起き上がり動作

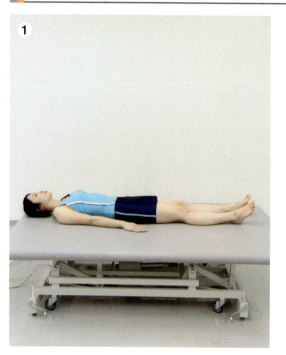

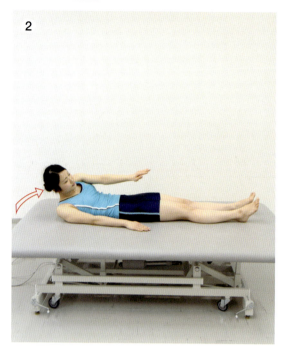

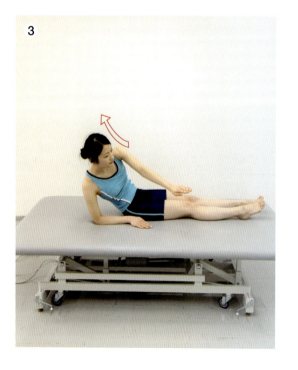

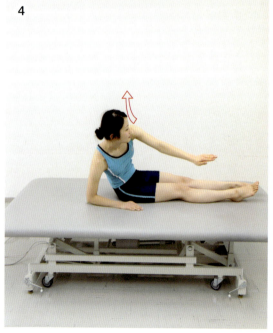

第3章 機能評価と検査

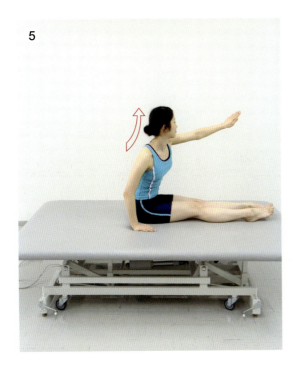

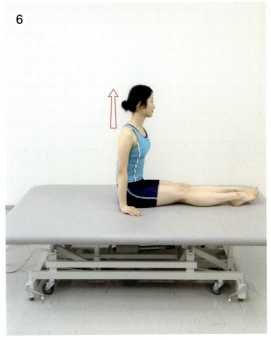

第3章 機能評価と検査

長座位から四つ這い動作

1
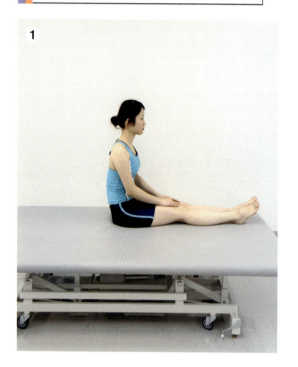

2
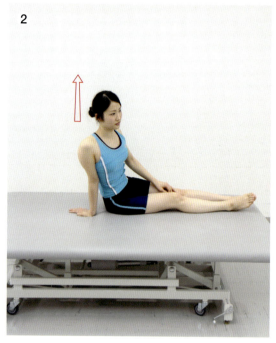

3
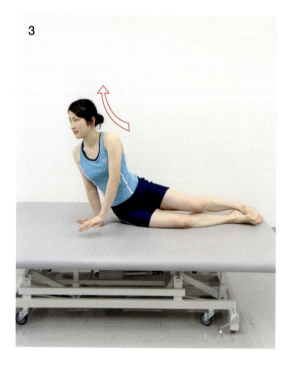

4
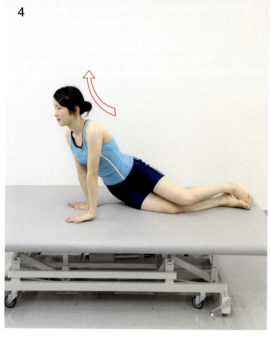

第3章 機能評価と検査

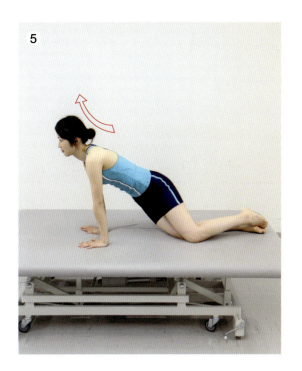

45

第3章 機能評価と検査

台からの立ち上がり動作

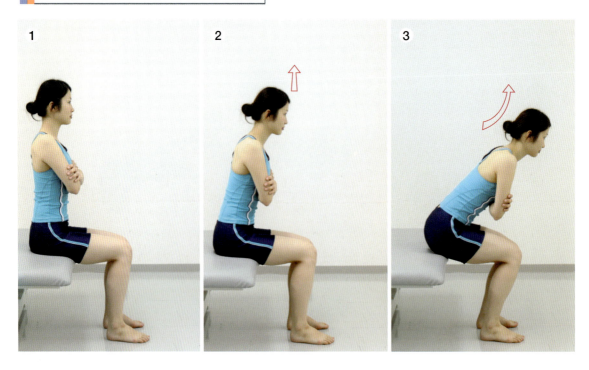

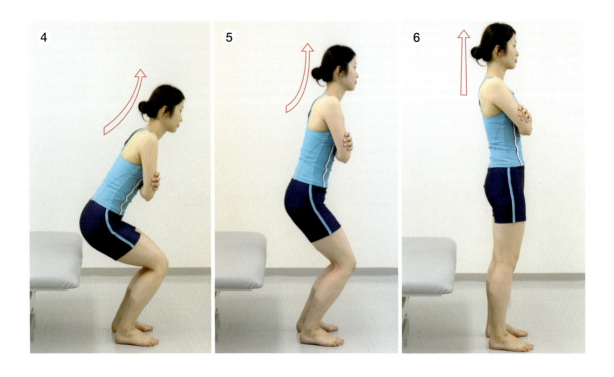

外乱応答にみられる立ち直り反応

I. 反射階層理論の視点―①立ち直り反応

I さまざまな立ち直り反応

　座位など静止姿勢を維持している時に座面をゆっくり傾けると，頭部は頭頂部を天に向けたままで体幹が傾斜する姿勢変化を観察できる．このように軽く身体を傾ける刺激に対して，頭部および体幹を抗重力位に維持しようとする応答は，外乱応答にみられる立ち直り反応という．

II 端座位における座面傾斜

1. 外乱刺激（座面傾斜）：座面を一方へゆっくり傾斜させる．
2. 被検者の反応：被検者の頭部と体幹は抗重力方向への立ち直りを維持している．

III 膝立ち位における床面傾斜

1. 外乱刺激（床面傾斜）：床面を一方へゆっくり傾斜させる．
2. 被検者の反応：頭部と体幹は抗重力方向への立ち直りを維持している．なお，下肢では抗重力支持が観察される．

IV 立位における床面傾斜

1. 外乱刺激（床面傾斜）：床面を一方へゆっくり傾斜させる．
2. 被検者の反応：頭部と体幹は抗重力方向への立ち直りを維持している．なお，下肢では抗重力支持が観察される．

端座位における座面傾斜

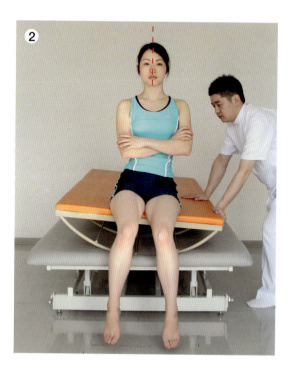

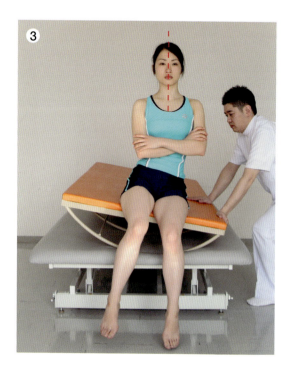

第 3 章　機能評価と検査

膝立ち位における床面傾斜

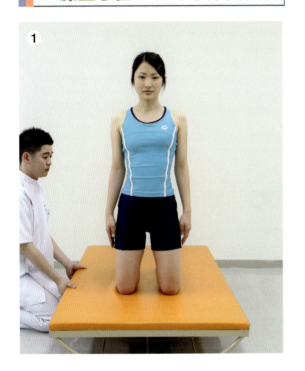

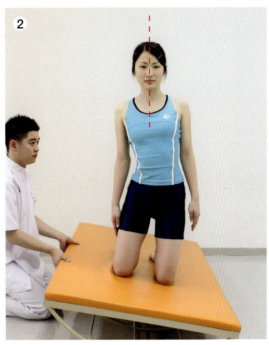

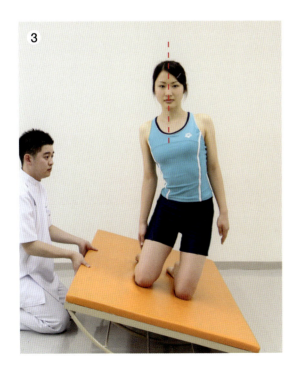

第3章　機能評価と検査

立位における床面傾斜

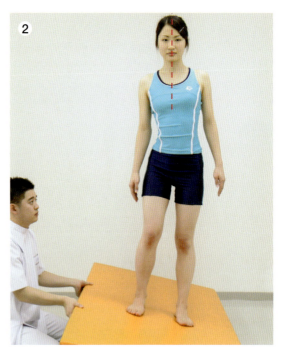

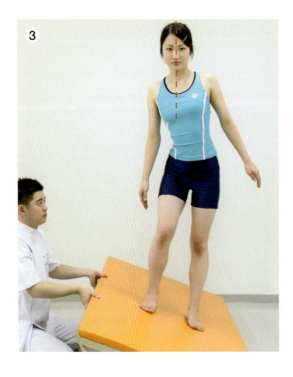

1 傾斜反応（床面傾斜）

I．反射階層理論の視点―②平衡反応

I さまざまな傾斜反応

被検者がのった床面を急に傾けると，上昇した側に体幹を側屈する，または下降した側の四肢を伸展するなどの反応を示す．

II 背臥位における傾斜反応

1. 外乱刺激（床面傾斜）：床面を一方へ急激に傾斜させる．
2. 被検者の反応：頭部と体幹は，傾斜上方側で凹形様の側屈が観察される．四肢は傾斜上方側で外転し，傾斜下方側では抗重力支持が観察される．

III 腹臥位（パピーポジション）における傾斜反応

1. 外乱刺激（床面傾斜）：床面を一方へ急激に傾斜させる．
2. 被検者の反応：頭部と体幹は，傾斜上方側で凹形様の側屈が観察される．上肢は傾斜上方側で水平内転，傾斜下方側では水平外転し，上肢帯は傾斜上方側へ偏位する様子が観察される．下肢は傾斜上方側で外転し，傾斜下方側では抗重力支持が観察される．なお，傾斜上方側の上肢で抗重力支持が観察される．

IV 端座位（足部非荷重姿勢）における傾斜反応

1. 外乱刺激（床面傾斜）：床面を一方へ急激に傾斜させる．
2. 被検者の反応：頭部と体幹は，傾斜上方側で凹形様の側屈が観察される．上肢は傾斜上方側で外転，傾斜下方側では内転し，上肢帯は傾斜上方側へ偏位する様子が観察される．下肢は傾斜上方側で股関節内旋，傾斜下方側では股関節外旋する様子が観察される．なお，傾斜上方側の骨盤の引き上げと，傾斜下方側の骨盤での抗重力支持が観察される．

V 四つ這い位における傾斜反応

【前後方向傾斜】

a．頭部上昇傾斜（尾側下降傾斜）の場合
1. 外乱刺激（床面傾斜）：床面を一方へ急激に傾斜させる．
2. 被検者の反応：頭部と体幹，骨盤が床に平行のまま傾斜上方側へ移動する様子が観察される．両上肢は，肘関節伸展位のまま肩関節が伸展する様子が観察される．両下肢は，股関節および膝関節が伸展する様子が観察される．なお，両上・下肢ともに抗重力支持が観察される．頭部は，抗重力方向へ立ち直っていることが観察される．

b．頭部下降傾斜（尾側上昇傾斜）の場合
1. 外乱刺激（床面傾斜）：床面を一方へ急激に傾斜させる．
2. 被検者の反応：頭部と体幹，骨盤が床に平行のまま傾斜上方側へ移動する様子が観察される．両上肢は，肘関節伸展位のまま肩関節が屈曲する様子が観察

第3章　機能評価と検査

される．両下肢は，股関節および膝関節が屈曲する様子が観察される．なお，両上・下肢ともに抗重力支持が観察される．頭部は，抗重力方向へ立ち直っていることが観察される．

【左右方向傾斜の場合】
1 外乱刺激（床面傾斜）：床面を一方へ急激に傾斜させる．
2 被検者の反応：頭部と体幹は，傾斜上方側で凹形様の側屈が観察される．上肢は，傾斜上方側で肩関節水平内転および肘関節軽度屈曲，傾斜下方側では肩関節水平外転し，上肢帯は傾斜上方側へ偏位する様子が観察される．なお，骨盤と下肢も同様の偏位が観察されるが，頭部・体幹・上肢ほど著明ではない．頭部は，抗重力方向への立ち直りが観察される．下肢は，抗重力支持が観察される．

Ⅵ　膝立ち位における傾斜反応

1 外乱反射（床面傾斜）：床面を一方へ急激に傾斜させる．
2 被検者の反応：頭部と体幹は，傾斜上方側へ凹形様の側屈が観察される．上肢は傾斜上方側で外転し，上肢帯は傾斜上方側へ偏位する様子が観察される．体幹は，傾斜上方側で軽度回旋が観察される．下肢は傾斜上方側で股関節軽度屈曲，傾斜下方側では抗重力支持が観察される．なお，頭部抗重力方向への立ち直り反応が観察される．

Ⅶ　立位における傾斜反応

【前後方向傾斜】

a．つま先上昇傾斜
1 外乱刺激（床面傾斜）：つま先側を上方へ，踵側を下方へ，急激に床面を傾斜させる．
2 被検者の反応：上肢は前方へ挙上，体幹は前方へ傾斜，足関節は背屈する様子が観察される．なお，頭部は抗重力方向への立ち直りが観察される．下肢は，抗重力支持が観察される．

b．つま先下降傾斜
1 外乱刺激（床面傾斜）：つま先側を下方へ，踵側を上方へ，急激に床面を傾斜させる．
2 被検者の反応：頭部と体幹および上肢は後方へ伸展し，足関節は底屈する様子が観察される．頭部は伸展した後，抗重力方向への立ち直りが観察される．下肢は抗重力支持が観察される．

【左右方向傾斜】
1 外乱刺激（床面傾斜）：床面を左右一方へ急激に傾斜させる．
2 被検者の反応：頭部と体幹および骨盤が床に平行のまま傾斜上方側へ移動する様子が観察される．下肢は，傾斜上方側で股関節および膝関節の軽度屈曲位，傾斜下方側では膝関節伸展位に維持されていることが観察される．なお，頭部は抗重力方向への立ち直りが観察される．下肢は，抗重力支持が観察される．

第3章 機能評価と検査

背臥位における傾斜反応

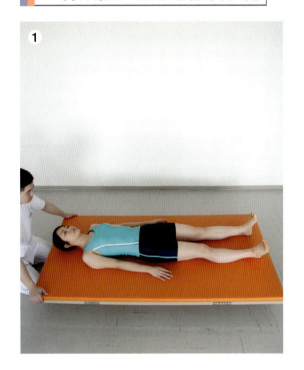

第3章 機能評価と検査

腹臥位(パピーポジション)における傾斜反応—上方

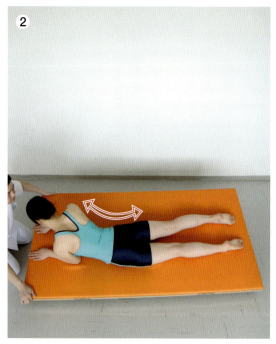

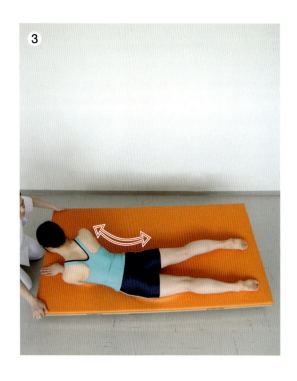

腹臥位（パピーポジション）における傾斜反応―前方

端座位（足部非荷重姿勢）における傾斜反応

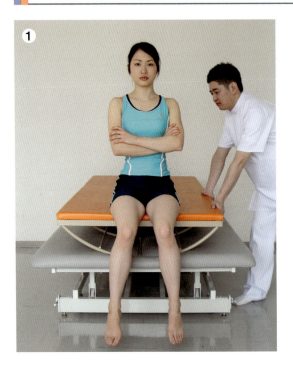

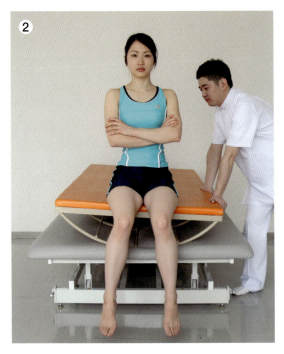

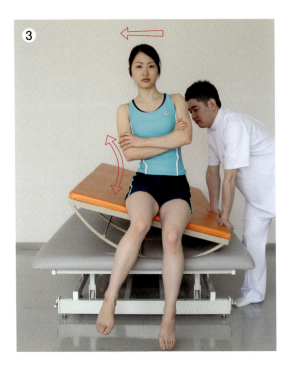

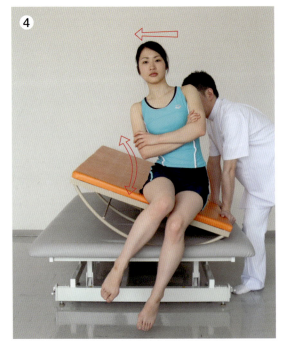

四つ這い位における傾斜反応①――頭部上昇傾斜（尾側下降傾斜）

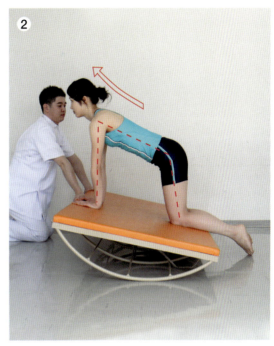

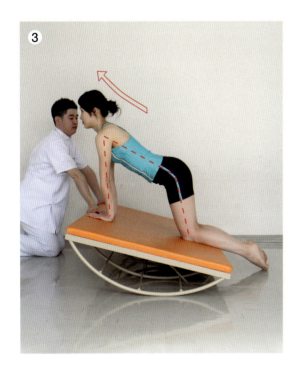

第3章　機能評価と検査

四つ這い位における傾斜反応②──頭部下降傾斜（尾側上昇傾斜）

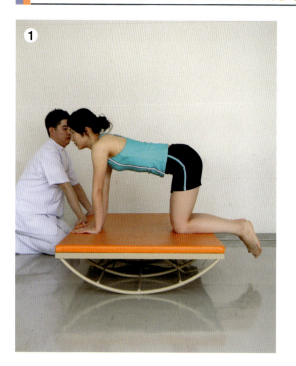

四つ這い位における傾斜反応③──左方下降斜傾（上方）

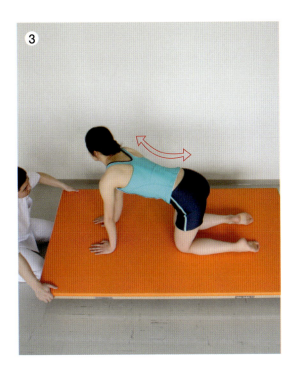

四つ這い位における傾斜反応④──左方下降傾斜（前方）

膝立ち位における傾斜反応

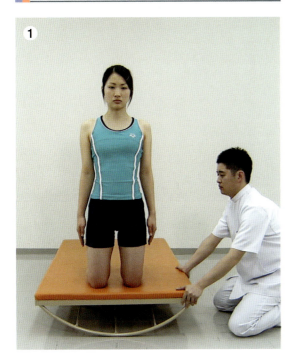

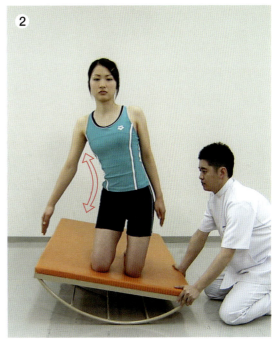

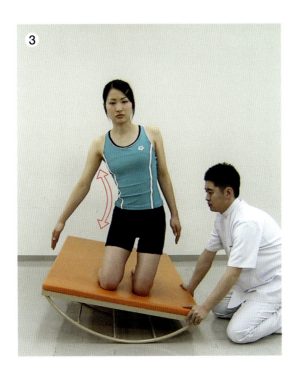

立位における傾斜反応①──つま先上昇傾斜

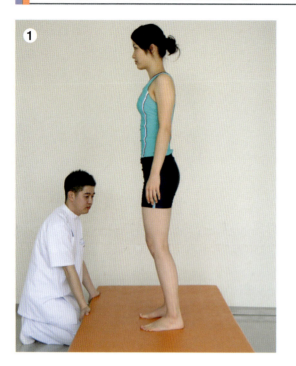

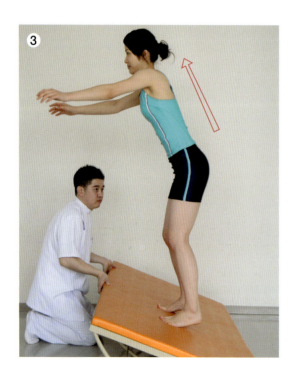

立位における傾斜反応②──つま先下降傾斜

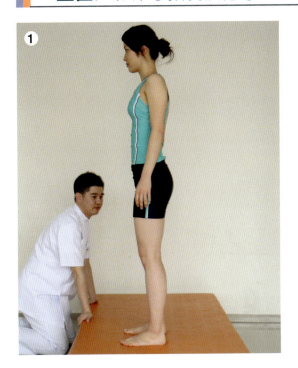

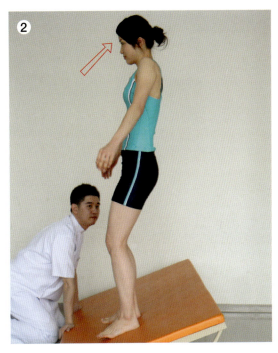

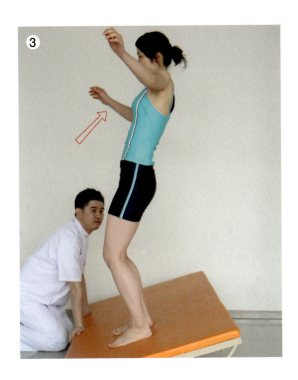

第3章　機能評価と検査

立位における傾斜反応③──左方向傾斜

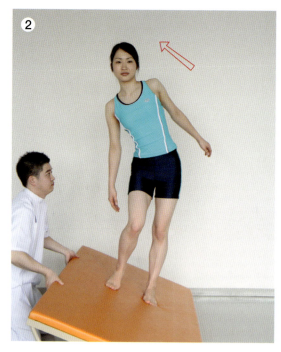

2 パラシュート反応・防御反応（水平外乱刺激）

I. 反射階層理論の視点―②平衡反応

I さまざまなパラシュート反応や防御反応

被検者に対して急激に強く肩を押すような外乱を加えると，手を横に出したり，足を一歩踏み出したりして転倒を防止するパラシュート反応や防御反応が観察される．

II 端座位におけるパラシュート反応（足部非荷重姿勢）

【側方へのパラシュート反応】
1. 外乱刺激：肩関節外側より一側方向へ急激な水平外乱を加える．
2. 被検者の反応：頭部と体幹は，外乱が加えられた方向へ凹形様の側屈運動を行い，その後，外乱が加えられた側と反対の上肢は肩関節外転，肘関節伸展し，外乱方向の床に手掌をつく様子が観察される．下肢は，外乱が加えられた側の股関節で内旋，反対側の股関節で外旋する様子が観察できる．頭部は，上肢が床につき抗重力支持をした後，抗重力方向へ立ち直るのが観察される．

【後方へのパラシュート反応】
1. 外乱刺激：両肩関節前方から後方へ急激な水平外乱を加える．
2. 被検者の反応：頭部と体幹は，外乱を加えた方向とは逆の前方へ屈曲運動を行い，その後，両上肢は肩関節伸展，肘関節伸展し，外乱方向（後方）の床に手掌をつく様子が観察される．下肢は，前方へ膝関節が伸展する様子が観察できる．頭部は，上肢が床につき抗重力支持をした後，抗重力方向へ立ち直るのが観察される．

III 膝立ち位における前方へのパラシュート反応

1. 外乱刺激：両肩甲帯後方より前方へ急激な水平外乱を加える．
2. 被検者の反応：頭部と体幹は，外乱が加えられた後方へ伸展，下肢は股関節屈曲，膝関節屈曲を行い，その後，両上肢は前方床面につく様子が観察される．頭部は，両上肢が床につき抗重力支持をした後，抗重力方向へ立ち直るのが観察される．

IV 立位におけるステッピング反応，よろめき反応（防御反応）

【側方へのステッピング反応，よろめき反応（防御反応）】
1. 外乱刺激：肩関節外側より一側方向へ急激な水平外乱を加える．
2. 被検者の反応：頭部と体幹は，外乱が加えられた方向へ凹形様の側屈運動をした後，体幹が外乱が加えられた方向と反対側へ傾斜する様子が観察される．外乱が加えられた側の上・下肢は外転，外乱が加えられた側と反対の上肢は外転，下肢では抗重力支持がなされる様子が観察される．その後，外乱が加えられた側の下肢は急激に内転し，支持脚を交差し，抗重力支持を

する様子が観察される．頭部と体幹は，抗重力方向へ立ち直るのが観察される．

【後方へのステッピング反応，よろめき反応(防御反応)】
1 外乱刺激：両肩関節前方（あるいは鎖骨部前方）より後方へ急激な水平外乱を加える．
2 被検者の反応：頭部と体幹は，外乱を加えた方向とは逆の前方へ屈曲，両上肢は前方挙上し，足関節は背屈する様子が観察される．その後，一方の下肢を後方へ一歩踏み出し，上肢は下垂位となり，下肢は抗重力支持し，頭部は抗重力方向へ立ち直るのが観察される．

第3章 機能評価と検査

端座位における側方へのパラシュート反応

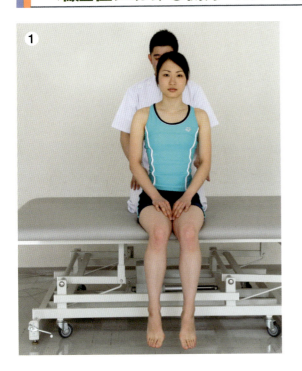
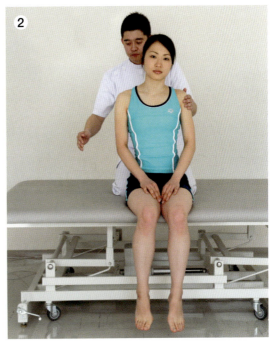
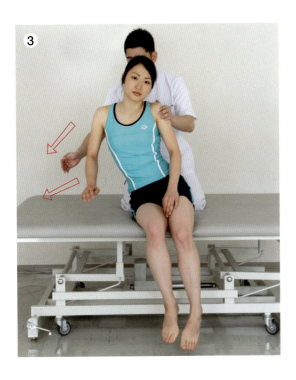
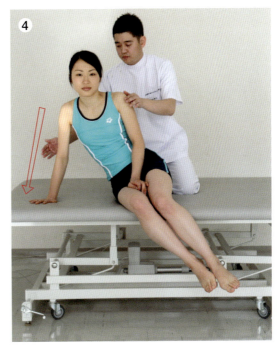

端座位における後方へのパラシュート反応

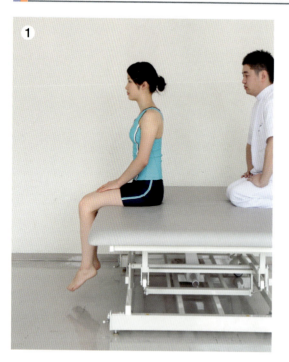

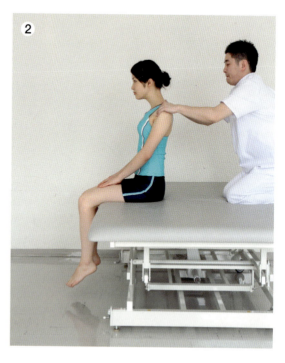

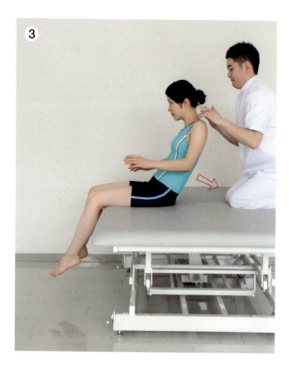

膝立ち位における前方へのパラシュート反応

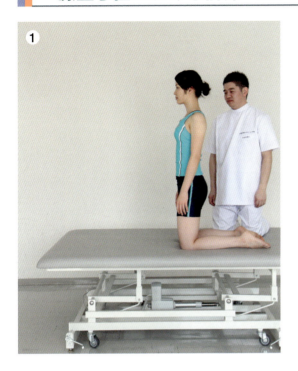

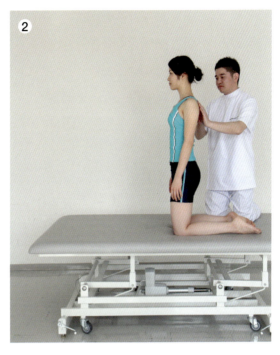

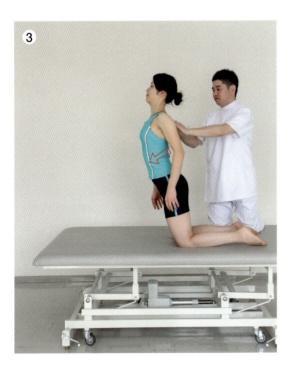

立位における側方へのステッピング反応，よろめき反応（防御反応）

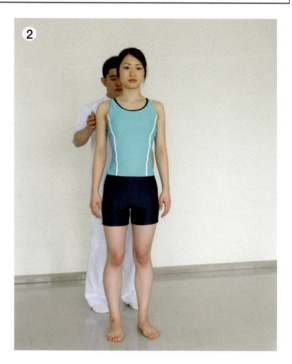

立位における後方へのステッピング反応, よろめき反応（防御反応）

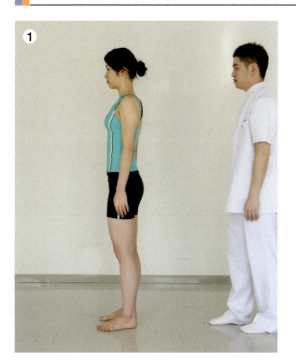

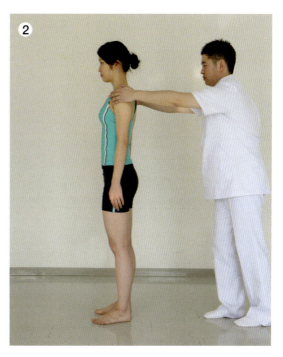

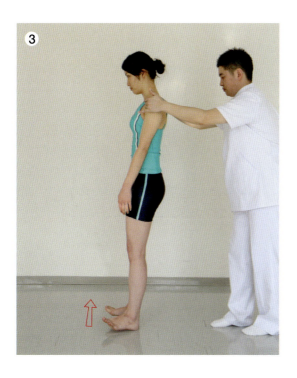

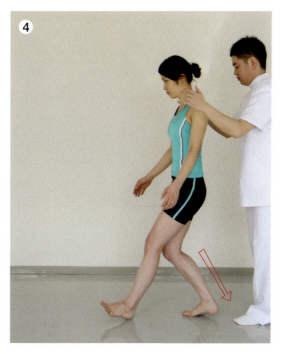

1 外乱に対する立位姿勢維持

Ⅱ. 運動戦略・生体力学の視点

機能評価と検査

Ⅰ さまざまな立位姿勢維持

被検者に対して肩や腰などにさまざまな力で外乱を加えると，転倒を防止するために，足関節に力を入れたり，股関節を曲げたり，あるいは一歩踏み出したりといった，立位姿勢の維持が観察される．

Ⅱ 足関節戦略

外乱刺激に対し，足関節の運動によって身体重心を支持基底面内に維持しようとする応答運動である．

1 外乱刺激：両肩関節前方(あるいは鎖骨部)より後方へ，または両肩関節後方(あるいは肩甲帯後方)より前方へ軽く水平外乱を加える．

2 被検者の反応：①両肩関節前方(あるいは鎖骨部)より後方へ軽く(小さく)水平外乱を加えた場合，両上肢は軽く前方挙上，足関節は軽く背屈する様子が観察される．股関節や膝関節の運動は，ほとんどみられない．頭部は，抗重力方向へ立ち直っていることが観察される．身体重心の投影点は，後方へ移動するが足底でつくられた支持基底面内に維持される．

②両肩関節後方(あるいは肩甲帯後方)より前方へ軽く(小さく)水平外乱を加えた場合，両上肢は軽く後方伸展，足関節および足指は強く屈曲する様子が観察される．股関節や膝関節の運動は，ほとんどみられない．頭部は，抗重力方向へ立ち直っていることが観察される．身体重心の投影点は，前方へ移動するが足底でつくられた支持基底面内に維持される．

Ⅲ 股関節戦略

外乱刺激に対し，股関節の運動によって身体重心を支持基底面内に維持しようとする応答運動である．

1 外乱刺激：両肩関節前方(あるいは鎖骨部)もしくは骨盤前面(あるいは上前腸骨棘部)より後方へ，または両肩関節後方(あるいは肩甲帯後方)もしくは骨盤前面(あるいは上後腸骨棘部)より前方へ大きく水平外乱を加える．

2 被検者の反応：①骨盤前面(あるいは上前腸骨棘部)より後方へ大きく水平外乱を加えた場合，両上肢は大きく前方挙上，頭部と体幹は，股関節が骨盤を後方へ突き出すように屈曲するため前傾する様子が観察される．足関節は，背屈を伴う場合もある．膝関節は，伸展位では運動がみられない．身体重心の投影点は，後方へ移動するが足底でつくられた支持基底面内に維持される．

②骨盤後面(あるいは上後腸骨棘部)より前方へ大きく水平外乱を加えた場合，両上肢は後方伸展，頭部と体幹は，股関節が骨盤を前方へ突き出すように伸展するため後傾する様子が観察される．足関節は，脛骨が軽く

前傾し，背屈位となる様子が観察される．膝関節は，伸展位では運動がみられない．身体重心の投影点は，前方へ移動するが足底でつくられた支持基底面内に維持される．

Ⅳ 踏み出し戦略

外乱刺激に対し片脚を一歩踏み出す運動によって身体重心を新たな支持基底面内に維持しようとする応答運動である．

1 外乱刺激：両肩関節前方(あるいは鎖骨部)もしくは骨盤前面(あるいは上前腸骨棘部)より後方へ，または両肩関節後方(あるいは肩甲帯後方)もしくは骨盤後面(あるいは上後腸骨棘部)より前方へ強く(大きく)水平外乱を加える．さらに，肩関節外側もしくは骨盤外側より一側方向へ強く(大きく)水平外乱を加える．

2 被検者の反応：①両肩関節前方(あるいは鎖骨部)より後方へ強く(大きく)水平外乱を加えた場合，片方の脚を後方へ一歩踏み出す様子が観察される．頭部と体幹は，股関節が屈曲するため軽く前傾する様子が観察される．身体重心の投影点は，後方へ移動し足底である支持基底面から逸脱するが，新しい支持基底面(後方へ一歩踏み出してつくられる)内に移動することで維持される．

②両肩関節後方(あるいは肩甲帯後方)より前方へ強く(大きく)水平外乱を加えた場合，片方の脚を前方へ一歩踏み出す様子が観察される．頭部と体幹は，股関節が伸展するため軽く後傾する様子が観察される．身体重心の投影点は，前方へ移動し足底である支持基底面から逸脱するが，新しい支持基底面(前方へ一歩踏み出してつくられる)内に移動することで維持される．

③肩関節外側より一側方向へ強く(大きく)水平外乱を加えた場合，外乱を加えた側の脚が，対側の脚と交差し，外乱方向の側方へ一歩踏み出す様子が観察される．頭部と体幹は，外乱が加えられた方向へ軽く側屈・回旋する様子が観察される．身体重心の投影点は，外乱方向の側方へ移動し足底である支持基底面から逸脱するが，新しい支持基底面(側方へ一歩踏み出してつくられる)内に移動することで維持される．

足関節戦略①――両肩関節前方

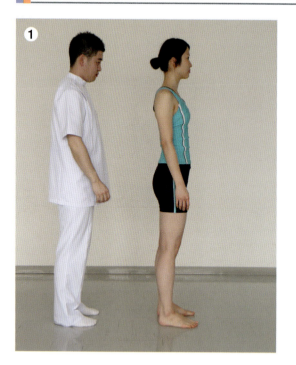

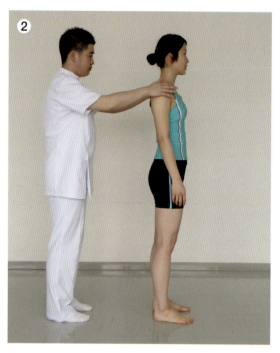

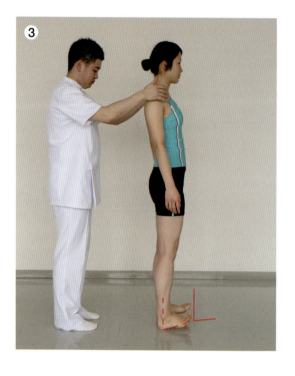

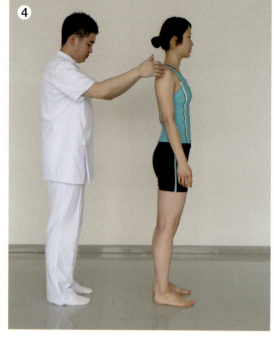

第3章 機能評価と検査

足関節戦略②―両肩関節後方

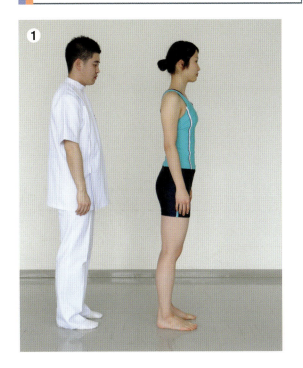
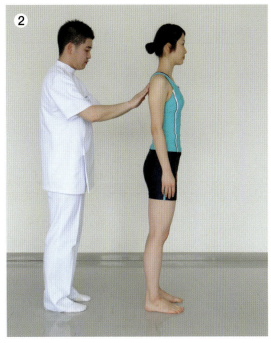
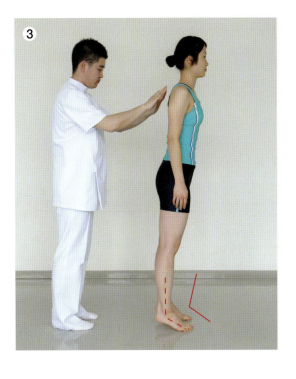
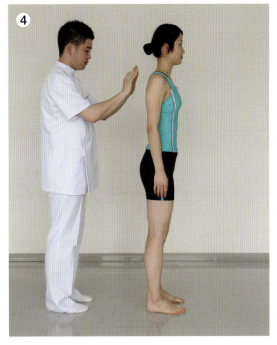

75

第3章　機能評価と検査

股関節戦略①——骨盤前面

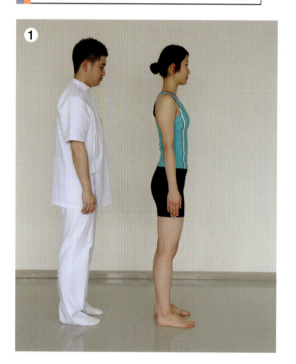

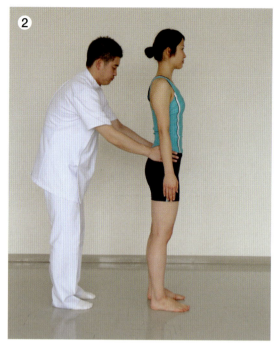

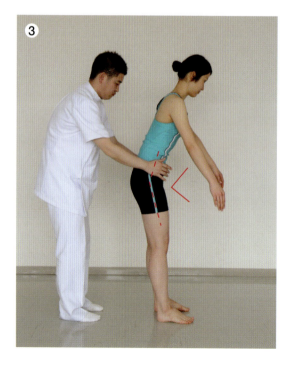

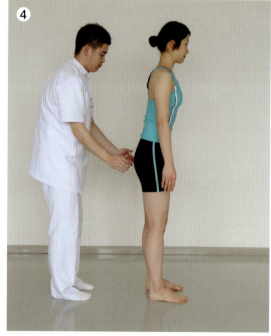

第3章　機能評価と検査

股関節戦略②―骨盤後面

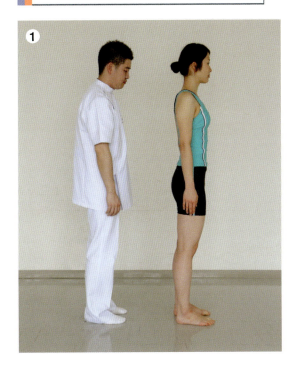
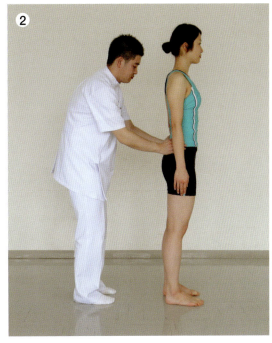
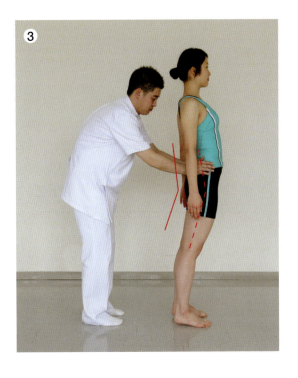
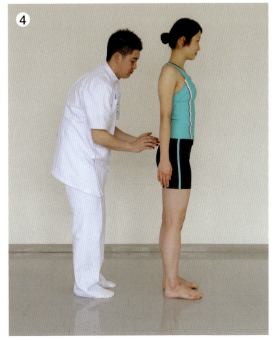

77

踏み出し戦略①―両肩関節前方

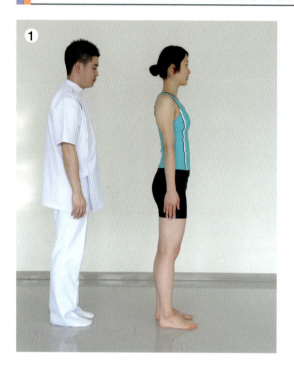

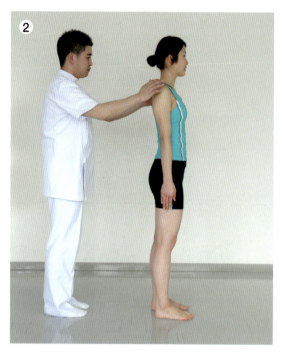

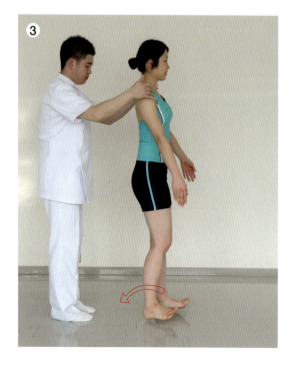

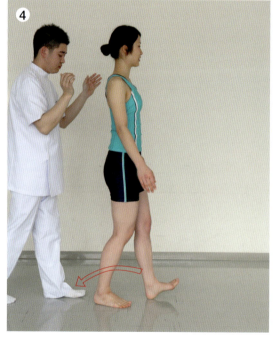

踏み出し戦略②――両肩関節後方

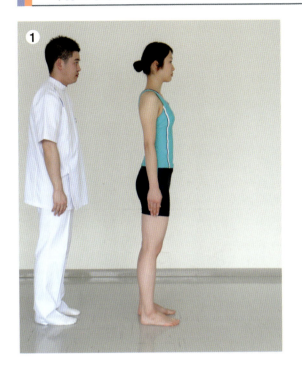

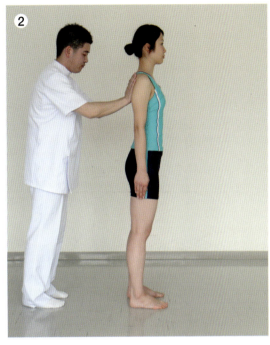

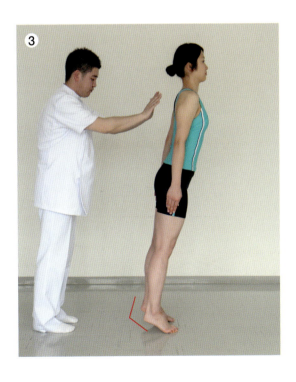

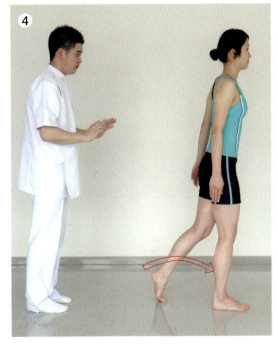

踏み出し戦略③——両肩関節外側

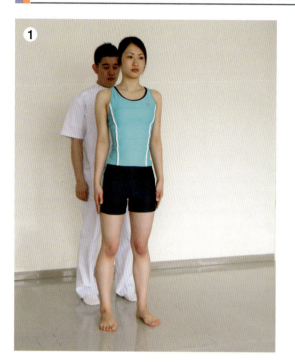

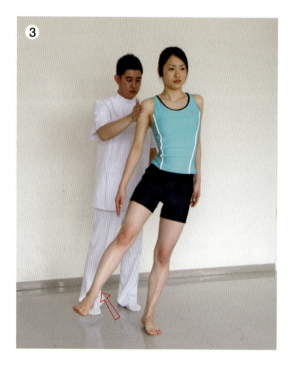

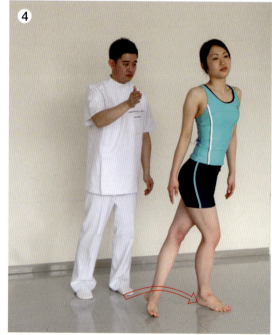

2 外乱に対する端座位姿勢維持

Ⅱ. 運動戦略・生体力学の視点

Ⅰ　さまざまな端座位姿勢維持

被検者に対して肩からさまざまな力で外乱を加えると，転倒を防止するために，体幹を硬く緊張させたり，体幹を外乱が加えられた方向へ側屈したり，腕を開いたり，手掌を側方へついたりといった端座位姿勢を維持するための運動が観察される．

Ⅱ　頭部・体幹戦略

外乱刺激に対し，頭部・体幹の調整によって身体重心を支持基底面内に維持しようとする応答運動である．
1　外乱刺激：肩関節外側より一側方向へ軽く（小さく）水平外乱を加える．
2　被検者の反応：体幹筋が緊張し体幹全体を硬く固定するか，あるいは軽く体幹を傾ける様子が観察される．頭部は，垂直位に保持され抗重力方向へ立ち直ろうとする様子が観察される．身体重心の投影点は，外乱方向の側方へ軽く移動するが，座面に接している殿部でつくられた支持基底面内に保持される．

Ⅲ　上・下肢戦略

外乱刺激に対し，上肢・下肢の構えを変化させて身体重心を支持基底面内に維持する応答運動である．
1　外乱刺激：肩関節外側より一側方向へ強く（大きく）水平外乱を加える．
2　被検者の反応：体幹を傾けると同時に，外乱が加えられた側の上肢および下肢は外転する様子が観察される．頭部は，垂直位に保持され抗重力方向へ立ち直ろうとする様子が観察される．身体重心の投影点は，外乱方向の側方へ移動するが，座面に接している殿部でつくられた支持基底面内に保持される．

Ⅳ　上肢の保護伸展戦略

外乱刺激に対して，外乱が加えられた側と反対の上肢で床面を支持することにより，身体重心を新しい支持基底面内に移動させ座位を維持しようとする応答運動である．
1　外乱刺激：肩関節外側より一側方向へ強く（大きく）水平外乱を加える．
2　被検者の反応：体幹を傾けると同時に，外乱が加えられた側と反対の上肢は外転し，床に手掌をつく様子が観察される．身体重心の投影点は，外乱方向の側方へ移動し，殿部でつくられる支持基底面から逸脱するが，新しい支持基底面（側方へ手掌をついてつくられる）内に移動することで維持される．

第 3 章　機能評価と検査

頭部・体幹戦略

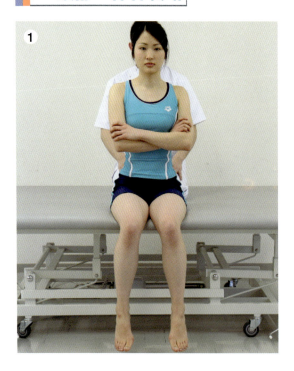
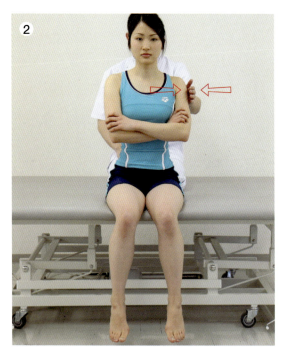
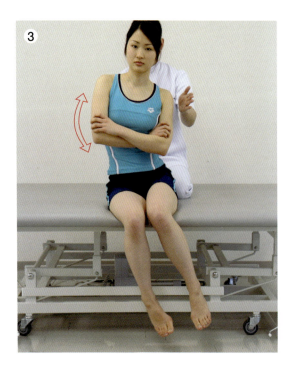
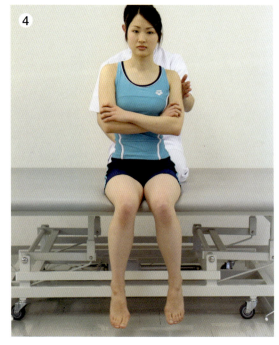

上・下肢戦略

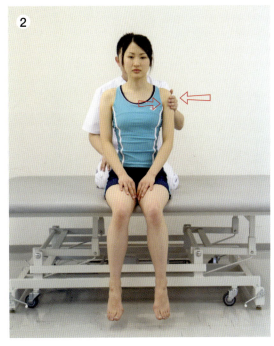
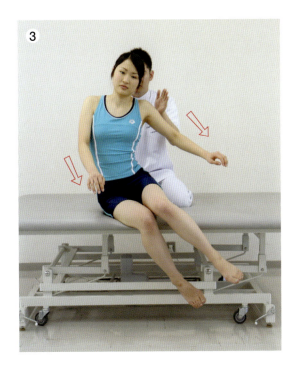
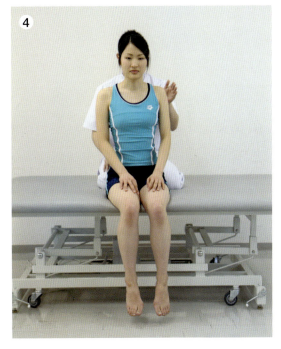

第3章　機能評価と検査

上肢の保護伸展戦略

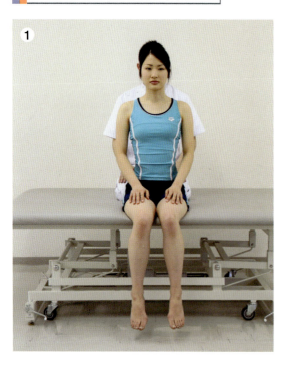

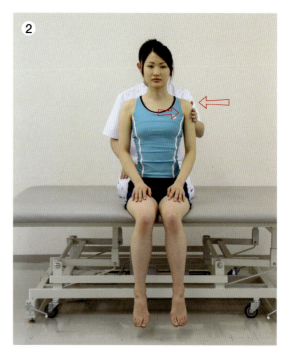

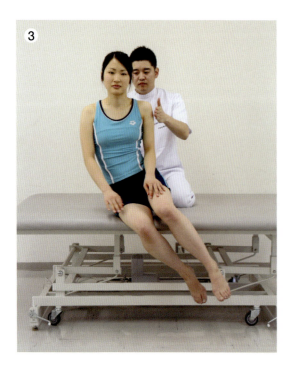

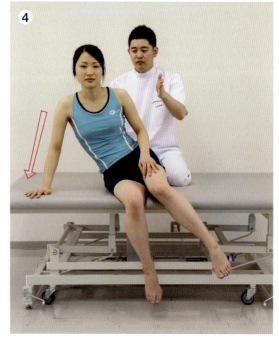

Ⅱ. 運動戦略・生体力学の視点

3 自発運動における姿勢維持

Ⅰ さまざまな姿勢での自発運動

　さまざまな姿勢で，被検者が自ら四肢を挙上しようとすると，挙上運動が開始される前に，挙上側と反対方向への身体重心移動を行う姿勢変化が観察される．

Ⅱ 立位における両上肢前方挙上運動

　上肢挙上運動が開始される直前に，体幹が後方へ傾斜する様子が観察される（鉄アレイ保持の有無で比較）．頭部と体幹は，抗重力位に維持されていることが観察される．支持基底面は，両足底で変化はないが，身体重心の投影点は後方へ移動する．なお，鉄アレイ保持なしとありで上肢を挙上した場合を示す．

Ⅲ 立位における一側上肢側方挙上運動

　上肢側方挙上運動が開始される直前に，体幹が挙上側の反対側へ傾斜する様子が観察される（鉄アレイ保持の有無で比較）．頭部と体幹は，抗重力位に維持されていることが観察される．支持基底面は，両足底で変化はないが，身体重心の投影点は上肢挙上側の反対側へ移動する．なお，鉄アレイ保持なしとありで上肢を側方挙上した場合を示す．

Ⅳ 片脚挙上運動

　片脚挙上運動が開始される直前に，骨盤および体幹が挙上側と反対側へ偏位し，身体重心が支持脚へ移動する様子が観察される．頭部と体幹は，抗重力位に維持されていることが観察される．支持基底面は，立脚足底へと変化し，身体重心は足底内に投影される．

Ⅴ 四つ這い位における四肢挙上運動①―一側上肢挙上

　一側上肢の挙上運動が開始される直前に，体幹が後方および挙上側の反対側へ偏位し，重心が支持側へ移動する様子が観察される．頭部は上肢挙上側へ向き，抗重力位となる．支持基底面は，身体を支持する手掌と両下腿を結ぶ三角形となり，身体重心は三角形内に投影される．

Ⅵ 四つ這い位における四肢挙上運動②―一側下肢挙上

　一側下肢の挙上運動が開始される直前に，体幹が前方および挙上側の反対側へ偏位し，身体重心が支持側へ移動する様子が観察される．頭部は前方へ向き，抗重力位となる．支持基底面は，身体を支持する両手と支持脚の下腿を結ぶ三角形となり，身体重心は三角形内に投影される．

Ⅶ 膝立ち位から片膝立ち位への運動

　一側下肢を前方へ踏み出す前に，骨盤および体幹が支持脚方向へ偏位し，身体重心が支持側へ移動する様子が観察される．頭部と体幹は，抗重力位が保持されていることが観察され

る．支持基底面は，身体を支持する支持脚の膝および足部と踏み出した足部を結ぶ三角形となり，身体重心は三角形内に投影される．

Ⅷ 端座位における一側下肢挙上運動

　一側下肢を挙上する前に，頭部および体幹が支持脚方向へ偏位し，重心が支持側へ移動する様子が観察される．頭部と体幹は，抗重力位が維持されていることが観察される．支持基底面は，身体を支持する両殿部および支持脚足底を結ぶ三角形となり，身体重心は三角形内に投影される．なお，一側下肢挙上に先行する支持脚大腿部筋群（大腿四頭筋およびハムストリング）の収縮を触診することができる．

第3章　機能評価と検査

立位における両上肢前方挙上運動①―鉄アレイなし

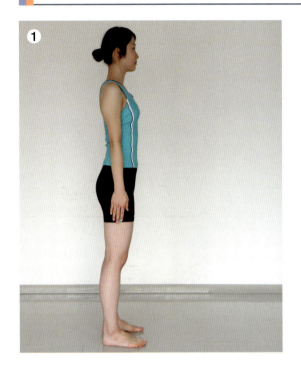

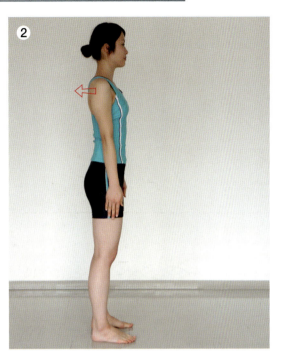

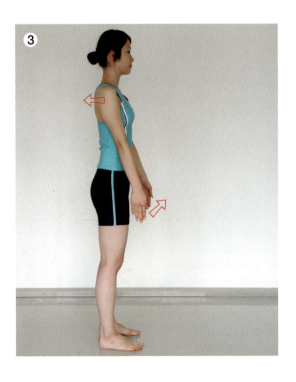

立位における両上肢前方挙上運動② ― 鉄アレイあり

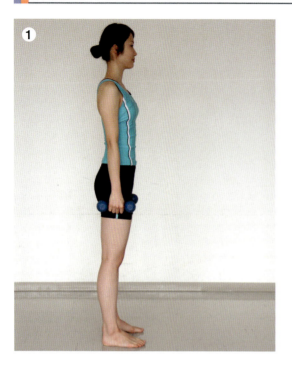
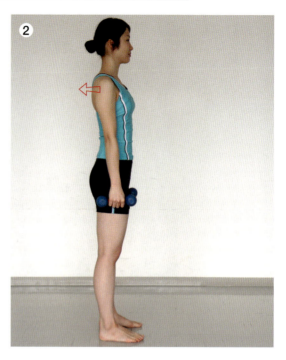
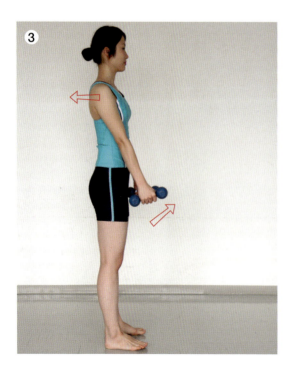

第3章 機能評価と検査

立位における一側上肢側方挙上運動①―鉄アレイなし

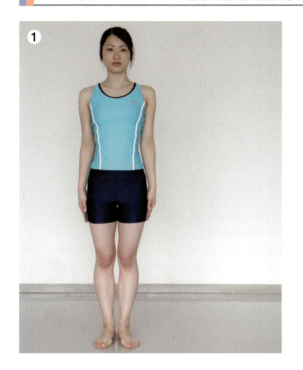

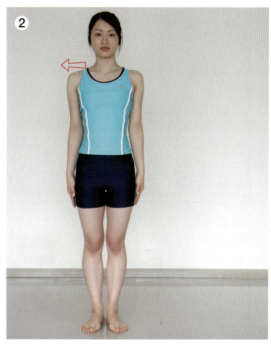

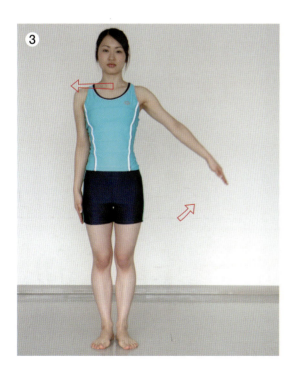

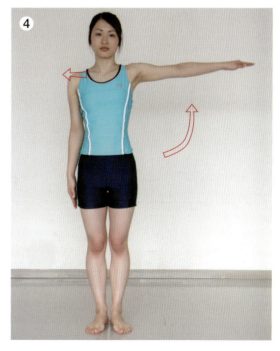

第3章　機能評価と検査

立位における一側上肢側方挙上運動② ― 鉄アレイあり

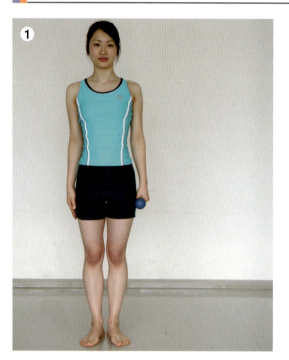

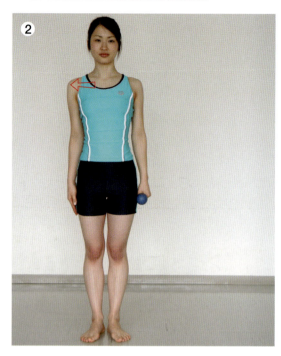

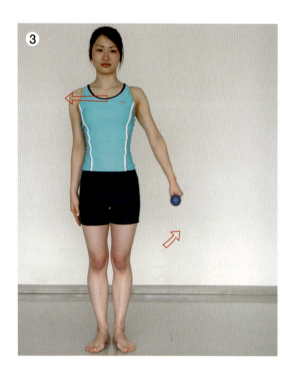

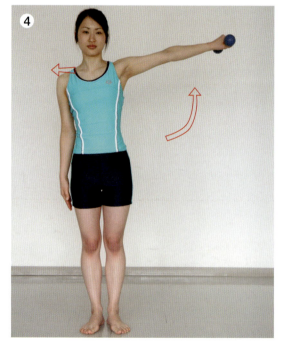

第3章 機能評価と検査

片脚挙上運動

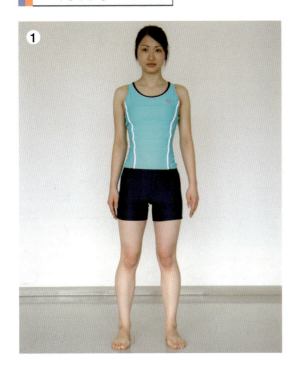

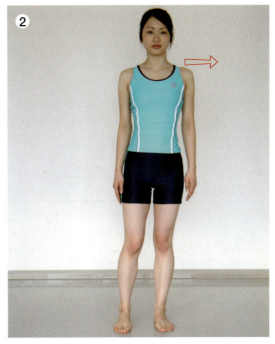

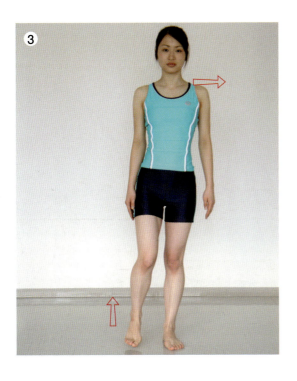

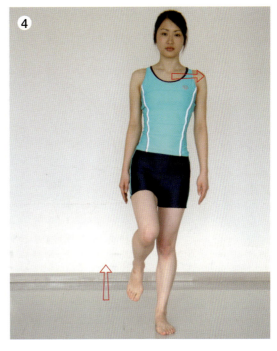

四つ這い位における四肢挙上運動①──一側上肢挙上

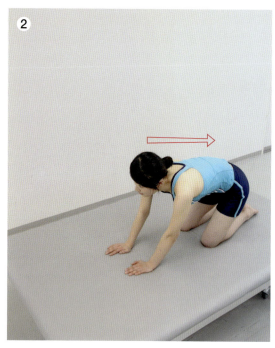

四つ這い位における四肢挙上運動②——一側下肢挙上

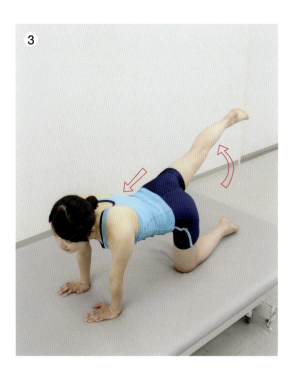

膝立ち位から片膝立ち位への運動

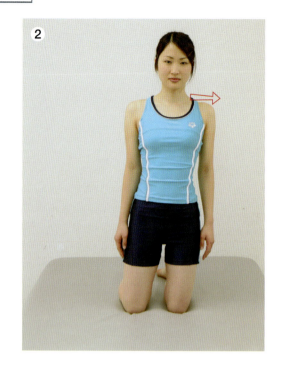

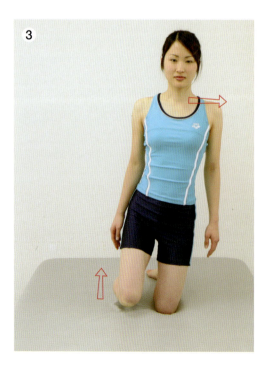

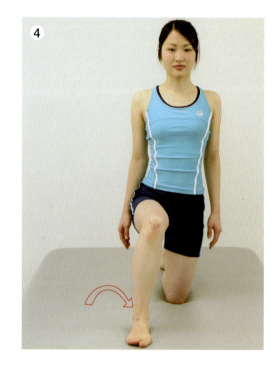

第3章　機能評価と検査

端座位における一側下肢挙上運動

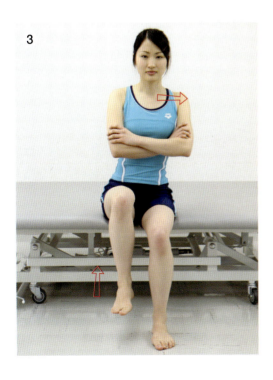

バーグ・バランス・テスト

III. 課題遂行の視点―機能的バランス検査

I 目 的

　バーグ・バランス・テスト（Berg balance test）は，Bergにより開発された検査法である．高価な機器を使用せず，臨床における効果判定や治療指針の策定，予後予測，スクリーニング検査を行うことができる．高齢者の転倒スクリーニングや脳血管障害患者の評価に用いられている．

II 検査方法

　座位・立位の姿勢保持，立ち上がり動作，代表的な日常動作からなる14項目の課題で構成され，0～4の5段階で評価する（**表1**）．なお，14項目の合計で56点満点となる．総得点40～45点が屋内歩行の目安となっている．バーグ・バランス・テスト・スコアと転倒の確率を**図1**に示す．

III 注 意

1 検査時の転倒事故と疲労に注意を払う．

【文　献】

1) Berg KO, et al：Measuring balance in the elderly：preliminary development of an instrument. *Physiother Can* **41**：304-311, 1989
2) Shumway-Cook A, et al：Motor Control―Theory and Practical Applications 2nd ed. Lippincott Williams & Wilkins, Philadelphia, 2001, pp271-304

第3章　機能評価と検査

表1　バーク・バランス・テスト（文献2）より一部改変引用）

評点：以下の各検査項目であてはまる最も低い得点に印を付ける

1) 椅座位からの立ち上がり
   指示：手を使わずに立ってください
   4：立ち上がり可能．手を使用せず安定して可能
   3：手を使用して一人で立ち上がり可能
   2：数回の施行後，手を使用して立ち上がりが可能
   1：立ち上がり，または安定のために最小限の介助が必要
   0：立ち上がりに中等度ないし高度の介助が必要

2) 立位保持
   指示：つかまらずに2分間立ってください
   4：安全に2分間立位保持が可能
   3：監視下で2分間立位保持が可能
   2：30秒間立位保持が可能
   1：数回の試行にて30秒間立位保持が可能
   0：介助なしには30秒間の立位保持不能

2分間安全に立位保持ができれば座位保持の項目は4点とし，着座の項目に進む

3) 座位保持（両足を床につけ，もたれずに座る）
   指示：腕を組んで2分間座ってください
   4：安全に2分間の座位保持が可能
   3：監視下で2分間の座位保持が可能
   2：30秒間の座位保持が可能
   1：10秒間の座位保持が可能
   0：介助なしには10秒間の座位保持不能

4) 着　座
   指示：座ってください
   4：ほとんど手を用いずに安全に座れる
   3：手を用いてしゃがみ込みを制御する
   2：下腿後面を椅子に押しつけてしゃがみ込みを制御する
   1：一人で座れるがしゃがみ込みを制御できない
   0：座るのに介助が必要

5) 移　乗
   指示：車いすからベッドへ移り，また車いすへ戻ってください．まず肘掛けを使用して移り，次に肘掛けを使用しないで移ってください
   4：ほとんど手を用いずに安全に移乗が可能
   3：手を用いれば安全に移乗が可能
   2：言語指示，あるいは監視下にて移乗が可能
   1：移乗に介助者1名が必要
   0：安全確保のために2名の介助者が必要

6) 閉眼立位保持
   指示：目を閉じて10秒間立っていてください
   4：安全に10秒間，閉眼立位保持可能
   3：監視下にて10秒間，閉眼立位保持可能
   2：3秒間の閉眼立位保持可能
   1：3秒間の閉眼立位保持できないが安定して立っていられる
   0：転倒を防ぐための介助が必要

7) 閉脚立位保持
   指示：足を閉じてつかまらずに立っていてください
   4：自分で閉脚立位ができ，1分間安全に立位保持が可能
   3：自分で閉脚立位ができ，監視下にて1分間立位保持可能
   2：自分で閉脚立位ができるが，30秒間の立位保持不能
   1：閉脚立位をとるのに介助が必要だが，閉脚で15秒間立位保持可能
   0：閉脚立位をとるのに介助が必要で，15秒間立位保持不能

以下の項目は支持せずに立った状態で実施する

8) 上肢前方到達
   指示：上肢を90°屈曲し，指を伸ばして前方へできるかぎり手を伸ばしてください（検者は，被検者が手を90°屈曲させた時に指の先端に定規を当てる．手を伸ばしている間は，定規に触れないようにする．被検者が最も前方に傾いた位置で指先が届いた距離を記録する）
   4：25 cm以上，前方到達可能
   3：12.5 cm以上，前方到達可能
   2：5 cm以上，前方到達可能
   1：手を伸ばせるが，監視が必要
   0：転倒を防ぐための介助が必要

9) 床から物を拾う
   指示：足の前にある靴を拾ってください
   4：安全かつ簡単に靴を拾うことが可能
   3：監視下にて靴を拾うことが可能
   2：拾えないが靴まで2.5～5 cmくらいのところまで手を伸ばすことができ，自分で安定を保持できる
   1：拾うことができず，監視が必要
   0：転倒を防ぐための介助が必要

10) 左右の肩越しに後ろを振り向く
    指示：左肩越しに後ろを振り向き，次に右を振り向いてください
    4：両側から後ろを振り向くことができ，体重移動が良好である
    3：片側のみ振り向くことができ，他方は体重移動が少ない
    2：側方までしか振り向けないが安定している
    1：振り向く時に監視が必要
    0：転倒を防ぐための介助が必要

11) 360°回転
    指示：完全に1周回転し，止まって，反対側に回転してください
    4：それぞれの方向に4秒以内で安全に360°回転が可能
    3：一側のみ4秒以内で安全に360°回転が可能
    2：360°回転が可能だが，両側とも4秒以上かかる
    1：近位監視，または言語指示が必要
    0：回転中，介助が必要

12) 段差踏み換え
    指示：台上に交互に足をのせ，各足を4回ずつ台にのせてください
    4：支持なしで安全かつ20秒以内に8回踏み換えが可能
    3：支持なしで8回の踏み換えが可能だが，20秒以上かかる
    2：監視下で補助具を使用せず4回の踏み換えが可能
    1：最小限の介助で2回以上の踏み換えが可能
    0：転倒を防ぐための介助が必要，または施行困難

13) 片脚を前に出して立位保持
    指示：片脚を他方の脚のすぐ前にまっすぐ出してください　困難であれば前の脚を後ろの脚から十分離してください
    4：自分で継ぎ脚位をとり，30秒間保持可能
    3：自分で脚を他方の脚の前に置くことができ，30秒間保持可能
    2：自分で脚をわずかにずらし，30秒間保持可能
    1：脚を出すのに介助を要するが，15秒間保持可能
    0：脚を出す時，または立位時にバランスを崩す

14) 片脚立ち保持
    指示：つかまらずにできる限り長く片脚で立ってください
    4：自分で片脚を上げ，10秒間以上保持可能
    3：自分で片脚を上げ，5～10秒間保持可能
    2：自分で片脚を上げ，3秒以上保持可能
    1：片脚を上げ3秒間保持不能であるが，自分で立位を保てる
    0：検査施行困難，または転倒を防ぐための介助が必要

得点＿＿＿＿／56

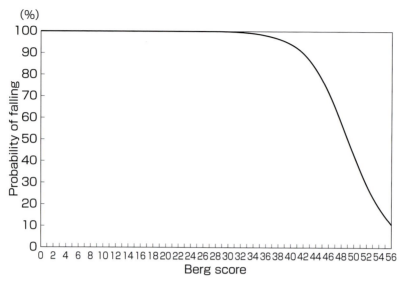

図1 バーグ・バランス・テスト・スコア(文献2)より一部改変引用)
　　Berg score:バーグ・バランス・テスト・スコア
　　Probability of falling:転倒確率

2 機能的リーチ・テスト

I 目的

機能的リーチ・テスト(functional reach test)は，Duncanらにより開発された検査法である．バランス障害の程度および経時的変化の指標として用いる．高齢者の転倒スクリーニングや脳血管障害患者の評価に用いられている．

II 検査方法

安定した立位を保ち肩の高さに上肢を前方挙上するよう指示する．次いで，挙上した上肢の手を軽く握り水平に維持したまま，バランスが崩れないようにできる限り前方へ伸ばさせ，指先の移動距離を測定する．計側は5回行い，最初の2回は練習で最後の3回分を計測結果とする．以下に，機能的リーチ・テストの基準値を示す(表1)．

III 注意

1 検査時の転倒事故に注意を払う．
2 開始姿勢の統一を図り，検査中に踵の挙上，体幹の回旋が起こらないように説明・注意する．

表1 機能的リーチ・テスト基準値

年齢	男性	女性
20〜40歳	41.8±4.8	32.1±5.5
41〜69歳	37.3±5.5	34.5±5.5
70〜87歳	33.0±4.0	26.3±8.8

(cm)

【文献】
1) Duncan PW, et al：Functional reach：a new clinical measure of balance. *J Gerontol* **45**：M192-197, 1990
2) Shumway-Cook A, et al：Motor Control—Theory and Practical Applications 2nd ed. Lippincott Williams & Wilkins, Philadelphia, 2001, pp271-304

第3章　機能評価と検査

機能的リーチ・テスト

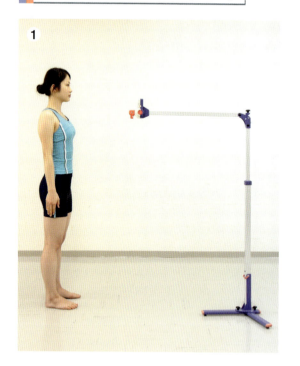

3 立って歩け時間計測検査

I 目 的

　立って歩け時間計測検査（timed up and go test）は，Podsiadloらにより開発された検査法である．この検査は，Mathiasら[2)]により開発された原法「立って歩け検査（get-up and go test）」の信頼性を高めるために時間を計測する方法として改良されたものである．

　これは，高齢者のバランス能力の評価を行うために開発されたが，中枢神経疾患だけでなく，整形外科や内部障害系疾患など，動的バランスの能力指標として広く用いられている．ちなみに「立って歩け検査」は，動作の観察から動作緩慢，ためらい，体幹や上肢の異常な動き，よろめき，つまずきなどを判定基準として，正常（1点：転倒の危険がない），ごく軽度の異常（2点），軽度の異常（3点），中等度の異常（4点），重度の異常（5点：検査中に転倒の危険がある）の5段階で評価する．

II 検査方法

　患者が背もたれのある椅子に座った状態から立ち上がり，椅子から前方3メートル離れたところまで歩き，方向転換をして元の椅子に腰掛けるまでの時間を計測する．歩行速度は，快適速度とされている．所要時間10秒以内が正常とされ，高齢者で20秒以下であれば日常生活活動における移乗課題は自立し，地域での移動に必要とされる歩行速度（0.5 m/秒）であるといえる．30秒以上になると移動に補助具を必要とする状態となる．

III 注 意

1 転倒の危険性があるので注意する．
2 特に，方向転換や座り込み時に注意する．
3 履物や床面の状態など，検査条件の統一を図る．

【文 献】
1) Podsiadlo D, et al：The timed "Up and Go"：a test of basic functional mobility for frail elderly persons. *J Am Geriatr Soc* **39**：142-148, 1991
2) Mathias S, et al：Balance in Elderly Patients：The "Get-up and Go" Test. *Arch Phys Med Rehabil* **57**：387-389, 1986

立って歩け時間計測検査（timed up and go test）

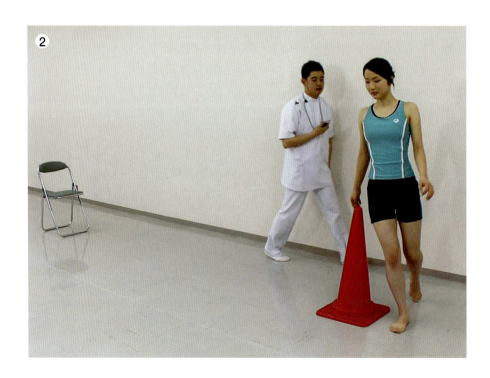

Ⅲ. 課題遂行の視点―機能的バランス検査

4 継ぎ足歩行検査

Ⅰ 目 的

継ぎ足歩行検査（tandem gait test）は，小脳症候群（cerebellar syndrome）の機能診断に用いられる検査である．軽度の失調性歩行障害を診断する時に行われる．

Ⅱ 検査方法

2メートル程度の線を引き，その線上で片側の足先に反対側の踵をつけた継ぎ足立位をとらせ，次にそのまま片側の足先に反対側の踵を交互につけ，継ぎ足歩行をするように指示する．バランス機能に障害のある患者は，直線上に足部を接地できずに，よろめいたり，倒れたりする．

Ⅲ 注 意

1 転倒の危険性があるので注意する．

【文 献】
1）田崎義昭，他：ベッドサイドの神経の診かた 改訂16版．南山堂，2004

第3章 機能評価と検査

継ぎ足歩行検査

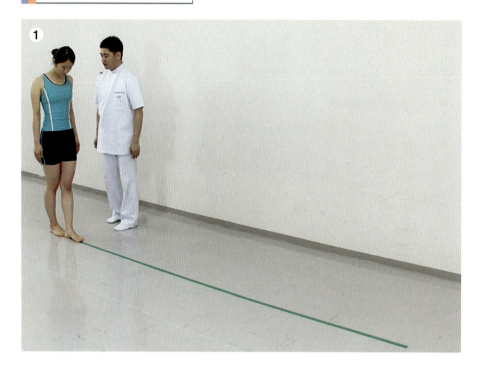

III. 課題遂行の視点—機能的バランス検査

3メートル椅子間歩行

I 目 的

3メートル椅子間歩行は，中村らが脳性麻痺児における運動技能の発達的変化を動作の連合（association of motions）という視点から分析することを目的に開発したものであり，中枢神経疾患の動的バランスや歩行能力を動作の観察と時間測定により評価する．

椅子間移動の動作は，椅子から立ち上がる，歩く，向きを変える，椅子に座る，の4つの単位動作に区分できるが，動的バランスや歩行能力の障害は各動作間における連合性の欠如および動作の滑らかさの消失として確認できる．また，遂行時間の遅延やバラツキで障害を定量化できる．

II 検査方法

3メートル離れた位置に背もたれのある椅子を向かい合わせに置く．一方の椅子に座った状態で2〜3秒静止した後，「ヨーイドン」の合図で動作を開始し，向かい側の椅子に腰掛けるように指示する．移動速度は日常生活における速さで行い，運動の開始から椅子に腰掛けて身体が静止するまでの所要時間を5〜15回計測する．動作の連合を分析するために，測定と同時にビデオなどを用いて動作を記録しておくとよい．

III 注 意

1 立ち座りおよび方向転換時の転倒の危険性に注意する．
2 観察は単位動作間の動作の連続性に注意を払う．

【文 献】
1) 中村隆一，他（編）：運動の神経機構とその障害．医歯薬出版，1975

第3章 機能評価と検査

3メートル椅子間歩行

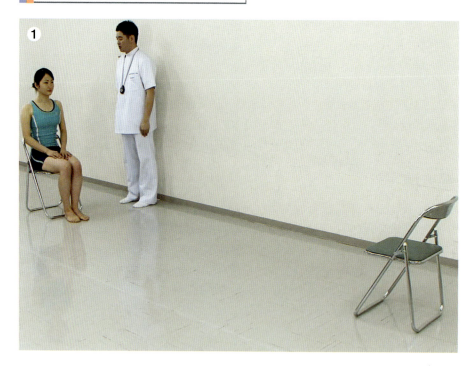

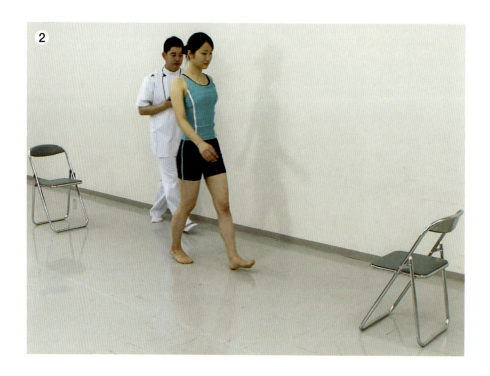

Ⅲ. 課題遂行の視点―機能的バランス検査

6 2ステップ・テスト

Ⅰ 目 的

2ステップ・テスト（2 steps test）は，立位バランスおよび歩行能力を簡便に推定するために，村永ら[1]により開発された検査方法である．歩行能力の推定には，従来10m歩行テストや6分間歩行距離などが用いられているが，このテストは歩行の最小単位である1歩行周期の最大歩幅を計測する方法である．広い計測空間を必要とせず診療室や在宅訪問時の家屋内で検査可能である．ロコモティブシンドローム対策において，下肢筋力やバランス能力，柔軟性などを含めた総合的歩行能力評価法として利用されている．また動的バランス指標として用いられる．検査は，両足をそろえた立位から可能な限り大股で2歩歩き，その移動距離を測定する．

Ⅱ 検査方法

スタートラインを決め，患者は両足のつま先をスタートラインにそろえて立ち，反動をつけずに可能な限り大股で2歩歩く．そして，2歩目の位置に両足をそろえて立ち止まる（バランスを崩した場合は失敗とする）．測定は，スタートラインから最終位置（2歩目）のつま先までの距離をcm単位で計測する（mm単位は四捨五入）．これを2回行い，より距離の長かった測定値を記録に採用する．なお，2回とも同じ足からスタートする．2ステップ値を算出する際は，「2歩幅（cm）÷身長（cm）＝2ステップ値」の計算式を使用する．

Ⅲ 注 意

1. 転倒防止に注意する．
2. バランスを崩さない範囲で行う．
3. 滑りにくい床で行う．
4. ジャンプはしない．
5. 数回練習を行う

表1 年代別ステップ参考値（ロコモチャレンジ推進協議会）

年代（歳）	男 性	女 性
20〜29	1.64〜1.73	1.56〜1.68
30〜39	1.61〜1.68	1.51〜1.58
40〜49	1.54〜1.62	1.49〜1.57
50〜59	1.56〜1.61	1.48〜1.55
60〜69	1.53〜1.58	1.45〜1.52
70〜79	1.42〜1.52	1.36〜1.48

【文 献】
1) 村永信吾，他：2ステップテストを用いた簡便な歩行能力推定法の開発．昭和医会誌 **63**：301-308, 2003
2) 中央労働災害防止協会：転倒等災害リスク評価セルフチェック実施マニュアル．（https://www.mhlw.go.jp/new-info/kobetu/roudou/gyousei/anzen/dl/101006-1a_07.pdf）2024年1月22日閲覧

2 ステップ・テスト

第3章 機能評価と検査

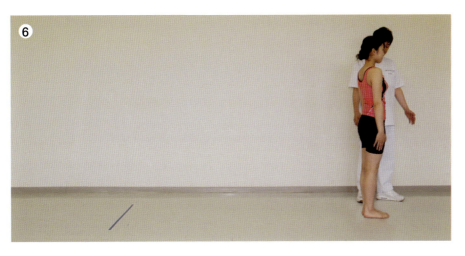

7 30秒椅子立ち上がりテスト

Ⅲ. 課題遂行の視点—機能的バランス検査

Ⅰ 目 的

　30秒椅子立ち上がりテスト（CS-30テスト：30-s chair-stand test）は，地域在住の高齢者の下肢筋力評価のためにJones[1]らにより開発されたものである．わが国では，介護予防事業において高齢者の下肢筋力およびバランス機能を日常生活との関連性を踏まえ総合的に評価するテストとして利用されている．検査は，椅子から立ち上がり動作を30秒間に何回可能か，回数を計測する．

Ⅱ 検査方法

　開始姿勢として，足を腰幅に開いて椅子に腰かけさせ，腕を胸の前で十字に組ませる．次に，一度立ち上がり動作を観察し，患者が手をついたり，腕を広げたりせずに可能かどうか確認する．その際，不可能な場合は検査終了とする．可能な場合は，検査者の合図で30秒間に実施できた回数を記録する．なお，立ち上がり動作の最終立位姿勢は，しっかり股関節および膝関節，体幹が伸展していることを確認する．また，課題遂行中の運動パターンやふらつきなどの観察を併せて行い記録する．回数の数え方は，座った姿勢から開始し，立ち上がって1回とし，再び座って立ち上がった場合を2回とする．30秒間に少しでも立ち上がり動作がみられれば回数に加える．

Ⅲ 注 意

1. 測定に際して，数回練習を行い，立ち上がる動作が可能か確認する．
2. 立ち上がりおよび着座時のバランスの崩れや転倒に注意する．
3. 着座時にドシンと椅子に落下しないよう注意する．

第3章 機能評価と検査

表1 30秒椅子立ち上がりテスト(CS-30テスト)の5段階性別年齢階級別評価表(文献3)より引用)

【男 性】

年齢群	CS-30 回数				
	優れている 5	やや優れている 4	ふつう 3	やや劣っている 2	劣っている 1
20〜29	38以上	37〜33	32〜28	27〜23	22以下
30〜39	37以上	36〜31	30〜26	25〜21	20以下
40〜49	36以上	35〜30	29〜25	24〜20	19以下
50〜59	32以上	31〜28	27〜22	21〜18	17以下
60〜64	32以上	31〜26	25〜20	19〜14	13以下
65〜69	26以上	25〜22	21〜18	17〜14	13以下
70〜74	25以上	24〜21	20〜16	15〜12	11以下
75〜79	22以上	21〜18	17〜15	14〜11	10以下
80〜	20以上	19〜17	16〜14	13〜10	9以下

【女 性】

年齢群	CS-30 回数				
	優れている 5	やや優れている 4	ふつう 3	やや劣っている 2	劣っている 1
20〜29	35以上	34〜29	28〜23	22〜18	17以下
30〜39	34以上	33〜29	28〜24	23〜18	17以下
40〜49	34以上	33〜28	27〜23	22〜17	16以下
50〜59	30以上	29〜25	24〜20	19〜16	15以下
60〜64	29以上	28〜24	23〜19	18〜14	13以下
65〜69	27以上	26〜22	21〜17	16〜12	11以下
70〜74	24以上	23〜20	19〜15	14〜10	9以下
75〜79	22以上	21〜18	17〜13	12〜9	8以下
80〜	20以上	19〜17	16〜13	12〜9	8以下

【文 献】

1) Jones CJ, et al:A 30-s chair-stand test as a measure of lower body strength in community-residing older adults. *Res Q Exerc Sport* **70**:113-119, 1999
2) 中谷敏昭,他:30秒椅子立ち上がりテスト(CS-30テスト)成績の加齢変化と標準値の作成.臨床スポーツ医学 **20**:349-355, 2003
3) 中谷敏昭,他:日本人高齢者の下肢筋力を簡便に評価する30秒椅子立ち上がりテストの妥当性.体育学研究 **47**:451-461, 2002

第3章 機能評価と検査

30秒椅子立ち上がりテスト①―立ち上がり動作

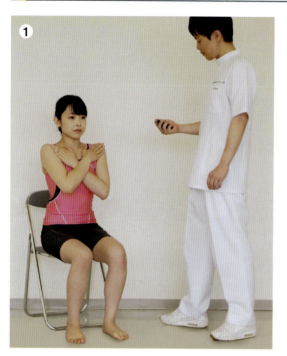

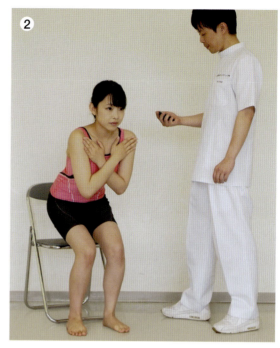

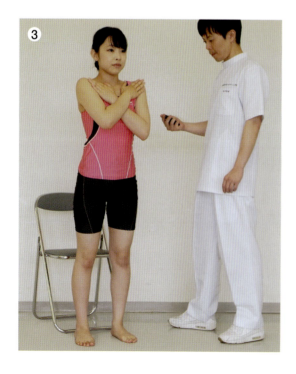

第3章 機能評価と検査

30秒椅子立ち上がりテスト②──座り動作

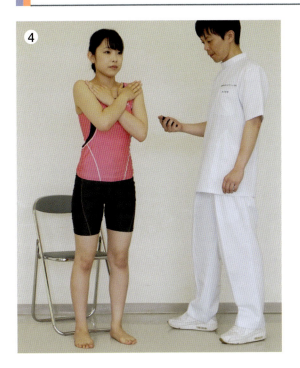

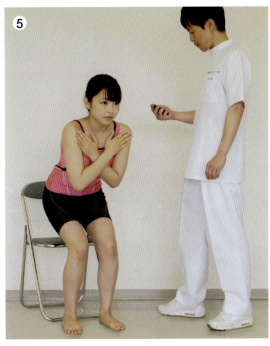

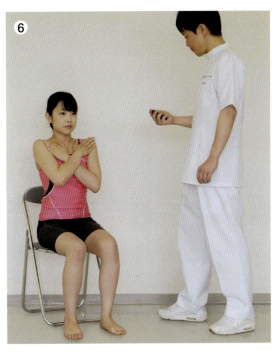

113

星形ステップ・バランス・テスト

I 目的

星形ステップ・バランス・テスト（SEBT：Star Excursion Balance Test）は運動器疾患，特に足関節不安定症に対する立位動的バランス・テストとしてKinzeyら[1]により開発されたが，多くの研究者によりバランス評価ツールとしての妥当性について検証されている．下肢筋力や柔軟性，固有感覚機能などが要求され，片脚立位における一般的動的バランスの評価ツールとして用いられている．

II 検査方法

床に前後左右，斜めの8方向に交差する直線を引き（図1），直線の交点上に片脚で立ち，遊脚足先をできる限り8方向の直線に沿った遠方へタッチし元の片脚立位に姿勢を戻す課題で，交点から足先がタッチした位置までの距離を各方向5回計測し平均値を算出する．計測した距離は，被験者の下肢長（上前腸骨棘～内果中央）で除し標準化する．

III 注意

1 片脚立位が可能かどうかを確認する．
2 片脚立位時および検査中に足部などの痛みがあるか確認する．
3 転倒に注意する．

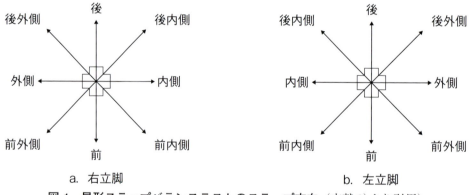

a. 右立脚　　　　　　　　b. 左立脚
図1　星形ステップバランステストのステップ方向（文献2)より引用）

参考値:各方向へのステップ長〔下肢長に対する比率(%)〕(文献4)より引用)

ステップ方向	下肢長に対する比率(%)	
	男 性	女 性
前	79.2±7.0	76.9±6.2
前外側	73.8±7.7	74.7±7.0
外側	80.0±17.5	79.8±13.7
後外側	90.4±13.5	85.5±13.2
後	93.9±10.5	85.3±12.9
後内側	95.6±8.3	89.1±11.5
内側	97.7±9.5	90.7±10.7
前内側	85.2±7.5	83.1±7.3

下肢長:上前腸骨棘〜内果中央,数値:平均±SD

【文 献】
1) Kinzey SJ, et al: The reliability of the star-excursion test in assessing dynamic balance. *J Orthop Sports Phys Ther* **27**:356-360, 1998
2) Gribble PA, et al: Using the Star Excursion Balance Test to assess dynamic postural-control deficits and outcomes in lower extremity injury: a literature and systematic review. *J Athl Train* **47**:339-357, 2012
3) Plisky PJ, et al: The reliability of an instrumented device for measuring components of the Star Excursion Balance Test. *N Am J Sports Phys Ther* **4**:92-99, 2009
4) Gribble PA, et al: Considerations for normalizing measures of the Star Excursion Balance Test. *Meas Phys Educ Exerc Sci* **7**:89-100, 2003

星形ステップ・バランス・テスト

III. 課題遂行の視点—機能的バランス検査

9 ショート・フィジカル・パフォーマンス・バッテリー

I 目的

ショート・フィジカル・パフォーマンス・バッテリー（SPPB：short physical performance battery）は，高齢者の移動能力と日常生活に必要な能力を，簡単な3つの運動課題で計測しようとする検査である．NIAEPESE（National Institute on Aging for the Established Populations for Epidemiologic Studies of the Elderly）により開発された．

II 検査方法

3つの運動課題は，バランス課題（balance task），歩行速度課題（gait speed task），椅子からの立ち上がり課題（chair stand task）からなり，結果は各課題のスコア表に従い記録する（表1）．SPPBの各課題の信頼性は0.97～0.79であり，妥当性として，0～4点のスコアの場合は長期入院，さらに1点増すにつれて0.5日入院期間が延長するという報告がされている．また，歩行速度はSPPBの運動課題の中で最も強い障害予測因子であるとしている．説明書などは，次のサイトから無料でダウンロードが可能である（https://www.nia.nih.gov/research/labs/leps/short-physical-performance-battery-sppb）（2024年1月22日閲覧）．なお，必要機材はストップウォッチ，歩行速度計測のための4m歩行路，椅子からの立ち上がり課題のための座面の硬い，高さ43.2cmの肘掛けのない椅子，SPPBスコア表である．

本書では，バランス課題と歩行速度課題の実施方法を動画で示したが，椅子からの立ち上がり課題については，30秒椅子立ち上がりテスト（動画）を参考としていただきたい．

【バランス課題】

バランス課題は，目を開けた状態で3つの姿勢を維持する能力を評価する．3つの姿勢は，①両足を揃えた立位，②一側の踵を反対側の母趾の側面に接触しておいた立位，③一側の踵を反対側の足趾の直前においた立位である．スコア基準は，各姿勢を10秒間保持可能であった場合，①両足を揃えた立位と②一側の踵を反対側の母趾の側面に接触しておいた立位は各1点，③一側の踵を反対側の足趾の直前においた立位は2点とし，③一側の踵を反対側の足趾の直前においた立位を10秒間保持ができなかった場合は1点とする．3つの姿勢がどれもできなかった場合は0点とする．総獲得点数は4点である．

【歩行速度課題】

歩行速度課題は，通常の速さで障害物のない4mの歩行路を歩き，所要時間を計測する．歩行時には杖などの補助具を使用してもよい．計測は，最初の足が開始ラインを横切った時に開始し，その最初の足が完全に4mラインを横切った時点で終了とする．2回計測し，速いほうの記録をもとにスコア化する．その際，歩行時の補助具のありなし，補助具を使用した場合は何を使用したかを記述する．スコア基準は，2回計測した記録のうち速い所要時間でスコア化する．その際，所要時間が8.7秒を超える場合を1点，所要時間が6.21～8.7秒の場合を2点，所要時間が4.82～6.2秒の場合を3点，所要時間が4.82秒未満の場合を4点，歩行ができなかった場合（60秒未満で歩行が終えない場合も含む）を0点とする．

【椅子からの立ち上がり課題】

椅子からの立ち上がり課題は，下肢の筋力を推定するとともに動的なバランス機能を評価する．はじめに，両腕を胸の前で組んだ椅座位から起立してもらい，検者はそれを観察す

第3章 機能評価と検査

表1　ショート・フィジカル・パフォーマンス・バッテリー（SPPB）スコア表（文献1）より改変引用）

【バランステスト（balance tests）】

被検者は杖やウォーカーを使用せず，支えなしで立つことができなければならない

A.　サイドバイサイドスタンス
　　_____（1）10秒間保持
　　_____（0）10秒間保持できない
　　_____（0）実施されない _____
　　10秒未満であった場合，
　　　　　　　保持された時間 _____
　　もし，ポイントがゼロの場合，バランステストを

B.　セミタンデムスタンス　　　　　　　　　　終了する
　　_____（1）10秒間保持
　　_____（0）10秒間保持できない
　　_____（0）実施されない _____
　　10秒未満であった場合，
　　　　　　　保持された時間 _____
　　もし，ポイントがゼロの場合，バランステストを

C.　フルタンデムスタンス　　　　　　　　　　終了する
　　_____（2）10秒間保持
　　_____（1）3〜9秒間保持
　　_____（0）少なくとも3秒保持できない
　　_____（0）実施されない
　　10秒未満であった場合，
　　　　　　　保持された時間 _____

D.　全バランススコア　_____（合計ポイント）

コメント：
_____
_____
_____

> もし，何らかのテストが実施されなかった場合，
> なぜ被検者がそのテストを実施しなかったか，最もぴったりと示す理由を選びなさい
>
> 試みた，しかしできなかった……1
> 被検者は支えなしでは立てなかった……2
> 試みなかった，検査者が安全でないと感じた……3
> 試みなかった，被検者が安全でないと感じた……4
> 患者が指示を理解できなかった……5
> その他（明記する）_____……6
> 被検者が拒否した……7

【歩行速度テスト（gait speed tests）】

被検者は補助器具を使用してもよい
4mで計測する．被検者に通常の楽なペースで歩行するように指示する

A.　第1回目の通常歩行時間（秒）
　1.　4mの歩行時間 _____秒
　2.　もし実施されない／完了しない場合：
　　　　上の四角枠の選択肢を参照_____
　　　　（チェアスタンドテストへ行く）
　3.　1回目の歩行のための補助器具
　　　　なし ___　杖 ___　その他 ___

コメント：
_____
_____
_____

B.　第2回目の通常歩行時間（秒）
　1.　4mの歩行時間 _____秒
　2.　もし実施されない／完了しない場合：
　　　　上の四角枠の選択肢を参照_____
　　　　（チェアスタンドテストへ行く）
　3.　2回目の歩行のための補助器具
　　　　なし ___　杖 ___　その他 ___

通常歩行の2回のうちで速いほうの時間は？
2回の時間のうち短いほうを記録する_____秒（1回のみ実施された場合は，その時間を記録する）

4mの通常歩行のスコア：
　_____（0）被検者が歩行できなかった場合
　_____（1）時間が8.70秒を超える場合
　_____（2）時間が6.21〜8.70秒の場合
　_____（3）時間が4.82〜6.20秒の場合
　_____（4）時間が4.82秒未満の場合

第3章 機能評価と検査

表1 つづき

【チェアスタンドテスト（chair stand tests）】

1回チェアスタンド
 A. 手助けなく安全に立つ（丸で囲む） はい   いいえ
 B. 結果
  被検者は腕を使うことなく立った _____ → 5回繰り返しチェアスタンドへ行く
  被検者は立つのに腕を使った   _____ → チェアスタンド終了する
  テストは完了しなかった   _____ → チェアスタンド終了する
 C. もし実施されなかった場合，前頁の四角枠の選択肢を参照_____
  （全テストのスコアへ行く）

5回繰り返しチェアスタンド（Five-repetition Chair Stands）
 被検者に休むことなく，5回できるだけ素早く立つように指示する．両腕は胸の前で折りたたんだまま保つ．被検者に時間を測ることを知らせる．繰り返し数をカウントする
 A. 手助けなく安全に立つ（丸で囲む） はい   いいえ
 B. 5回繰り返し立ちがうまくできた場合，時間を記録する
  5回繰り返し立ちを
    完了した時間 _____秒
 C. 完了しなかった／実施されなかった
    前頁の四角枠の選択肢を参照_____

5回繰り返しチェアスタンドのスコア
 _____（0）被検者は5回チェアスタンドを完了できなかった／完了するのに60秒を超えた
 _____（1）チェアスタンド時間が16.70秒以上
 _____（2）チェアスタンド時間が13.70～16.69秒の場合
 _____（3）チェアスタンド時間が11.20～13.69秒の場合
 _____（4）チェアスタンド時間が11.19秒以下の場合

SPPBのスコア

全テストのスコア
バランステストのスコア _____ ポイント
歩行速度テストのスコア _____ ポイント
チェアスタンドテストのスコア _____ ポイント

全スコア _____（合計ポイント）

る．その際，被検者が支持を使用せずうまく起立可能であれば，次に立ち座りを5回できるだけ素早く行うように指示し，5回の遂行時間を計測する．時間計測は，立ってくださいという指示とともに開始し，5回目の立つ動作の最後で，十分に直立位になるまでを計測する（椅子からに立ち上がり課題は，30秒椅子立ち上がりテストが参考になる）．スコア基準は，5回支持なしでできない場合（所要時間が60秒以上の場合も含む）を0点，所要時間が16.7～60秒の場合を1点，所要時間が13.7～16.69秒の場合を2点，所要時間が11.2～13.69秒の場合を3点，所要時間が11.2秒未満の場合を4点とする．

 全SPPBのスコア基準において正確にスコア化するためには，課題を実行したがらない患者と身体的にできない患者を区別することが必要である．検査を完了することができない場合は，その旨を記録しておくことが重要である．なお，最終スコアは3つの課題の合計で算出する．最大点数は12点である．

III 注意

1 転倒に注意する．
2 検者は患者の課題遂行を妨げない位置，後側方に位置する．
3 課題遂行中は患者に触れない．

4 歩行速度課題では，患者と一緒に歩き計測の最初と最後を確認するとともに転倒防止に努める．

【文　献】
1) Hislop HJ, et al：Daniels and Worthingham's Muscle Testing：Techniques of Manual Examination and Performance Testing 9th ed. Saunders, London2014, pp371-378

バランス課題

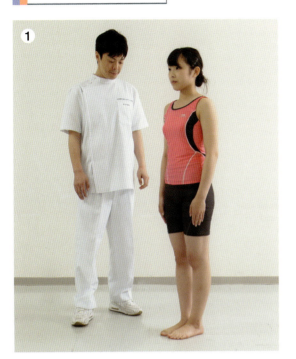

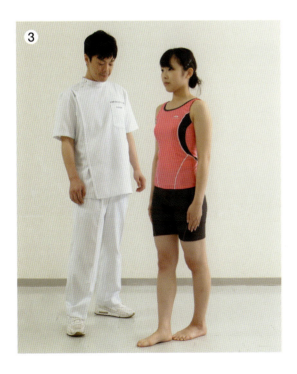

歩行速度課題

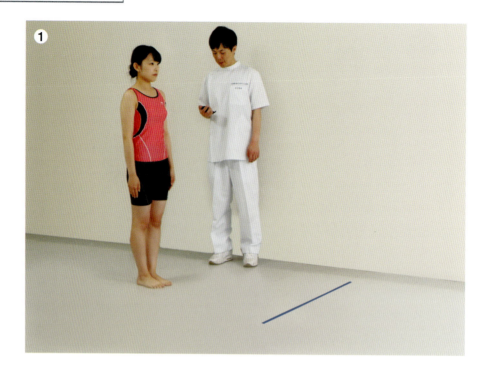

第3章 機能評価と検査

椅子からの立ち上がり課題

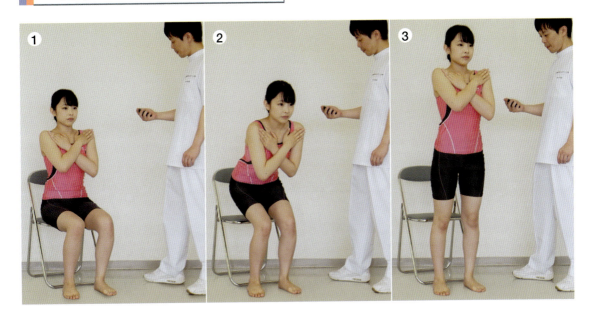

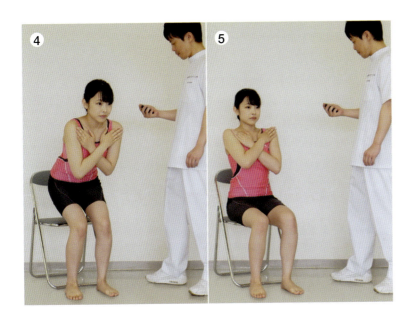

IV. 動作中のバランス評価

1 4つの観察ポイント

　動作中のバランス評価は，次の4つの観察ポイントに注意する．観察ポイントは，①動作の開始肢節の確認と，開始肢節の運動に追随する体節間の立ち直りの有無，②頭部および体幹の重力方向への立ち直りの有無，③抗重力姿勢の有無，④支持基底面の変化に伴う新たな支持基底面の確保の有無と，身体重心の軌跡の推定である．

I 寝返り

【背臥位から腹臥位】

　背臥位から側臥位と，側臥位から腹臥位の2つの相に区分し観察する．寝返り方向への頭部の屈曲・回旋運動から開始し，肩甲帯と上肢の寝返り方向への前方突出運動と体幹の屈曲・回旋運動，骨盤の回転運動が体節間の立ち直りに追随し側臥位となる．支持基底面は側臥位により縮小する．側臥位からは頭部と体幹は下降するが，抗重力方向への立ち直りと体節間の立ち直りを伴う頭部と体幹の伸展・回旋運動により腹臥位となる．支持基底面は，側臥位により縮小された支持基底面から腹臥位により拡大された支持基底面へ移行する．身体重心の軌跡は，寝返り方向および下肢方向へ移動した後，頭部方向へ移行すると推察される．一般的に日常生活における背臥位からの寝返りは，側臥位で終了する．運動の観察視点としては，頭部から肩甲帯・体幹・骨盤・下肢の順に運動が追随していき，終了姿勢では身体全体が床面へ傾斜し，上側の下肢が下側の下肢を越え前方に位置することに注意する．

【腹臥位から背臥位】

　腹臥位から側臥位と，側臥位から背臥位の2つの相に区分し観察する．寝返り方向への頭部の伸展・回旋運動から開始し，肩甲帯と上肢の寝返り方向への後方牽引運動と体幹の伸展・回旋運動，骨盤の回転運動が体節間の立ち直りに追随し側臥位となる．支持基底面は側臥位により縮小化する．側臥位からは頭部と体幹は下降するが，抗重力方向への立ち直りと体節間の立ち直りを伴う，頭部と体幹の屈曲・回旋運動により背臥位となる．支持基底面は，側臥位により縮小化された支持基底面から背臥位により拡大された支持基底面へ移行する．身体重心の軌跡は，寝返り方向および下肢方向へ移動した後，頭部方向へ移動すると推察される．一般的に日常生活における腹臥位からの寝返りは，側臥位から開始し背臥位で終了する．運動の観察視点としては，頭部から肩甲帯・体幹・骨盤・下肢の順に運動が追随していき，終了姿勢では身体背側全体が床面へ接地し左右対称となることに注意する．

II 起き上がり（片肘立て位を経由し長座位まで）

　背臥位から片肘立て位と，片肘立て位から長座位の2つの相に区分し観察する．背臥位から片肘立て位までの動作は，片肘立て位方向への頭部の屈曲・回旋運動から開始し，肘立て位方向への肩甲帯の前方突出運動と体幹の屈曲・回旋運動が体節間の立ち直りに追随し，片肘立て位となる．片肘立て位で頭部と体幹は，抗重力方向へ立ち直る．片肘立て位から長座位までの動作は，頭部の長座位方向への伸展・回旋運動から開始し，体幹の伸展・回旋運動へと移行し，頭部と体幹の抗重力姿勢となる．支持基底面は，背臥位の広い支持基底面から肘関節と前腕，殿部および下肢でつくられる四辺形へ移行した後，殿部と下肢でつくられる支持基底面となる．身体重心は，背臥位から肘立て位方向へ移動した後，長座位方向へと，背臥位の低い位置から肘立て位・長座位の高い位置へ移動することが推察される．

III 長座位から四つ這い位

　長座位から横座り位と，横座り位から四つ這い位の2つの相に区分し観察する．長座位から横座りへの動作は，横座り位方向への頭部の回旋運動から開始し，体幹の屈曲・回旋運動および骨盤の回転運動が体節間の立ち直りにより追随する．頭部は抗重力位を維持する．横座り位から四つ這い位への動作は，頭部の回旋運動から開始し，抗重力方向への頭部と体幹の伸展・回旋運動，手と膝関節を軸とする骨盤の回転運動が追随する．支持基底面は，両下肢と殿部および片側の手掌からなる支持基底面から片側の膝と手掌によってつくられる支持基底面に縮小し，その後，両手掌と膝および足部によりつくられる広い支持基底面へ移行する．身体重心は，長座位の位置から斜め上方へ移動した後，四つ這い位の高い位置へ移動することが推察される．

IV 四つ這い位から膝立ち位

　四つ這い位から後方への身体重心移動と，身体重心移動後の両上肢離床から膝立ち位の2つの相に区分し観察する．四つ這い位から股関節と膝関節，両肩関節の屈曲運動が開始し，膝立ち位のために両膝と両足部によってつくられる支持基底面へ身体重心を移動する．頭部は，抗重力位を保つように伸展位をとる．身体重心が膝の位置まで移動すると体幹と股関節，膝関節が同時に伸展運動を開始し，膝立ち位となり抗重力位を維持する．この時，手掌の離床は右あるいは左片側から開始される，身体重心も片側へ若干偏位する．身体重心は，両手掌と両膝，両足部による広い支持基底面（四つ這い位）から両膝，両足部による狭く限られた両膝部上方の支持基底面（膝立ち位）へ移動することが推察される．

V 片側に肘または手をついた端座位から正中端座位

　片側に肘をついた端座位から反対側への身体重心移動と，手掌離床から正中端座位への2つの相に区分し観察する．片側に肘をついた端座位から頭部と骨盤の正中位側への側方移動が開始され，骨盤帯と両下肢によってつくられる支持基底面方向へ身体重心を移動する．身体重心が殿部と両下肢によってつくられる支持基底面内に移動すると手掌が離床し，頭部と体幹は抗重力位を維持し正中端座位となる．身体重心は，片側についた手掌と下肢，殿部によってつくられる広い支持基底面内から殿部と両下肢によってつくられる狭い支持基底面内に移動することが推察される．片側に手をついた端座位から正中端座位への運動も同様に観察できるが，手掌の離床によって身体重心が殿部の位置まで移動することに注意する．正中端座位から片側に両手をついた端座位への運動では，頭部と体幹が抗重力位を維持し，身体重心を殿部でつくられる支持基底面内に維持したまま回旋し，両手掌が床につくと同時に，身体重心が両手と殿部でつくられる支持基底面内に移動することが推察される．

VI 端座位での側方移動

　体幹前傾と殿部離床，身体の側方移動，殿部着床の4つの相に区分し観察する．体幹前傾とともに頭部は抗重力位を維持する．身体重心は，足部によってつくられる支持基底面内へ移動する．この時に膝関節屈筋群の筋収縮が起こることに注意する．身体重心が足部によっ

てつくられる支持基底面内へ移動すると同時に，膝関節の伸展と前方移動が生じて殿部が離床し，身体重心は足部によりつくられる支持基底面内に保持されることが推察される．身体重心を足部によりつくられる支持基底面内に維持しながら膝関節を軽度伸展し，頭部と体幹を抗重力位に維持しながら骨盤および体幹を側方移動し殿部を着床させる．殿部の着床では，膝関節伸筋群の遠心性収縮により落下が調整され，頭部と体幹は抗重力位を維持しながら，殿部と下肢によりつくられる新たな支持基底面内に身体重心が移動することが推察される．

Ⅶ 背臥位からの立ち上がり

背臥位からの立ち上がりは，運動パターンとバランスの高度化から発達学的視点に基づき，年齢と姿勢変化の推移がモデル化されている．背臥位からの立ち上がり動作の観察は，起き上がりと立ち上がりの2つの相に区分し観察する．代表的な4つの年齢と姿勢変化のパターンを示す．

【腹臥位から台支持パターン（10カ月レベル）】

背臥位から寝返りし腹臥位と四つ這い位を経由して起き上がり，台を支持した膝立ち位から立ち上がる．単純な運動と多くの姿勢を用い，体幹と上肢，下肢，台を用いた広い支持基底面内に身体重心を維持しながら抗重力姿勢を保ち立位となることが推察される．この運動パターンは背臥位からの最もバランスの安定が保たれる容易な立ち上がり動作である．

【腹臥位から高這い位パターン（1歳レベル）】

起き上がり相では，10カ月レベルと同様の運動パターンを用い，立ち上がり相では四つ這い位から高這い位を経由し立ち上がる．立ち上がり相で自らの四肢を支えとして支持基底面内に身体重心を維持しながら抗重力姿勢を保ち立位となることが推察される．この運動パターンにより幼児は背臥位からの立ち上がり動作がはじめて自立し，立位バランスが可能となる．

【体幹部回旋（片肘立て位）から片膝立ち位パターン（3歳半レベル）】

起き上がり相では，頭部と体幹の屈曲・回旋運動により片肘立て位を経由し長座位まで起き上がり，横座りから片膝立ち位を経由し立ち上がる．起き上がり相では，頭部と体幹の屈曲・回旋という複雑な運動パターンを用い片肘立て位という限定された支持基底面内に身体重心を維持することが必要で，不安定な抗重力姿勢を経由できる高度な姿勢制御を獲得していることが推察される．立ち上がり相でも，横座り位から片膝立ち位という狭く限定された支持基底面内に身体重心を維持しながら不安定な抗重力姿勢を経由する，より高度な姿勢制御を獲得していることが推察される．この運動パターンは起立後に多様な方向へ移動を展開するための有効な運動パターンであり，立位バランスが安定しているといえる．

【対称座位から蹲踞位パターン（6歳レベル）】

背臥位から全身を屈曲し座位となる起き上がりと，蹲踞位から立ち上がりの2つの相に区分し観察する．起き上がり相では，身体重心位置が殿部と足部でつくられる限定された狭い支持基底面内に移動し，立ち上がり相では，足部だけでつくられるきわめて狭い支持基底面内に身体重心位置を維持しながら不安定な抗重力姿勢を経由し起き上がることが推察される．この運動パターンは全身の屈曲運動と伸展運動を一挙に出力する最も合理的で速度が速い立ち上がりで，高度な立位バランスとともに柔軟性と強い筋力が必要であり，背臥位からの立ち上がり動作の中で，最も高度な姿勢制御を獲得しているといえる．

Ⅷ 椅子からの立ち上がり

　体幹前傾と殿部離床，起立の3つの相に区分し観察する．体幹前傾とともに頭部の抗重力位を維持し，膝関節屈筋群の筋収縮が起こる．身体重心位置が足部によってつくられる支持基底面内へ移動すると同時に，膝関節の伸展と前方移動が生じて殿部が離床し，身体重心位置は足部によりつくられる支持基底面内に維持される．身体重心を足部によりつくられる支持基底面内に維持しながら体幹と膝関節を伸展し，頭部と体幹の抗重力姿勢を保ちながら立位となる．身体重心の軌跡は，端座位の位置から前下方へと，足部によりつくられる支持基底面内に移動した後，後上方へ上昇し立位の位置となることが推察される．椅子からの立ち上がりは，高度な立位バランス能力と強い筋力が必要である．

Ⅸ 歩き出し

　支持脚への身体重心移動と，遊脚踏み出しの2つの相に区分し観察する．身体全体の支持脚側前方への傾斜運動から開始し，身体重心が支持脚足部でつくられる支持基底面内へ移動する．身体重心が支持脚足部でつくられる支持基底面内に移動すると同時に，遊脚の振り出しが開始され，遊脚が前方へ接地することでつくられる両脚支持による新たな支持基底面内に身体重心が移動することが推察される．一連の運動中，頭部と体幹は抗重力姿勢を維持している．歩き出しバランスは，両脚立位，片脚立位，継ぎ足立位（一歩踏み出した立位）の各支持基底面内で身体重心を維持する能力が必要である．

寝返り①―背臥位から腹臥位：理念

第 3 章 機能評価と検査

第3章　機能評価と検査

寝返り②—背臥位から腹臥位：実際

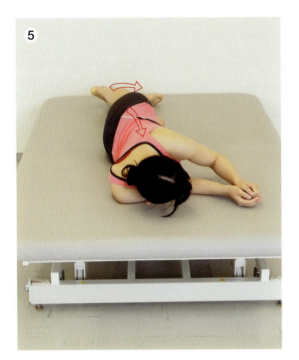

寝返り③──腹臥位から背臥位：理念

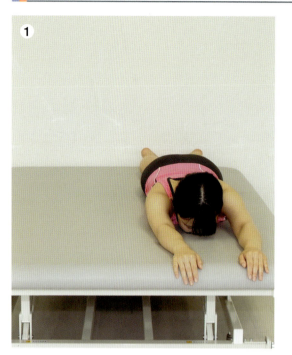

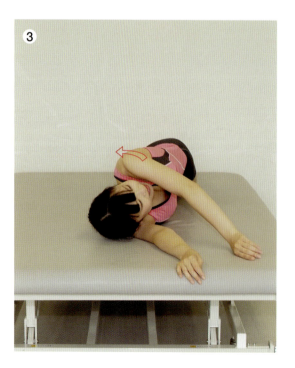

第3章　機能評価と検査

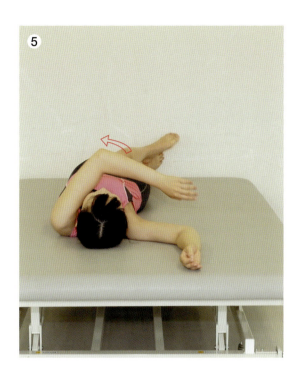

寝返り④―腹臥位から背臥位:実際

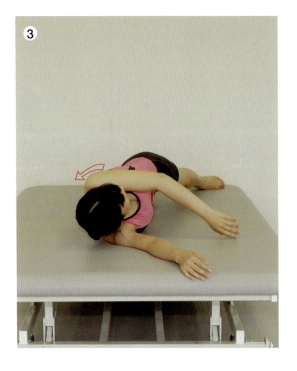
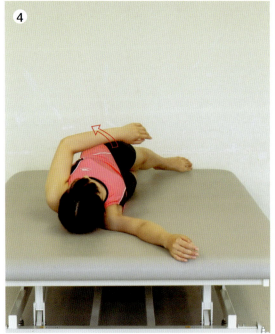

第 3 章　機能評価と検査

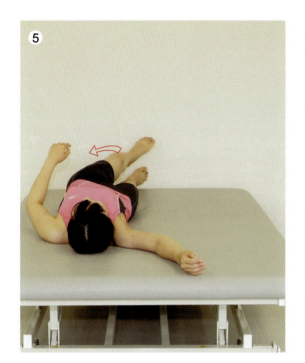

起き上がり（片肘立て位を経由し長座位まで）①―頭側

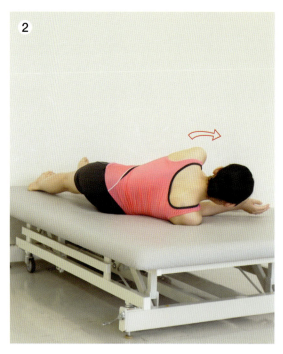

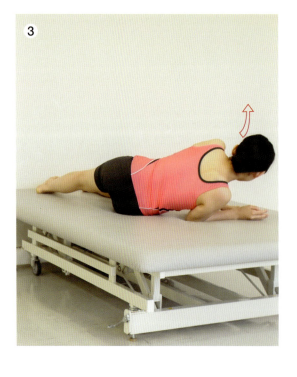

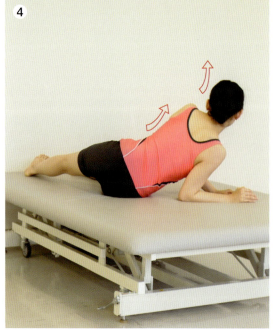

第3章 機能評価と検査

起き上がり（片肘立て位を経由し長座位まで）②―尾側

1

2

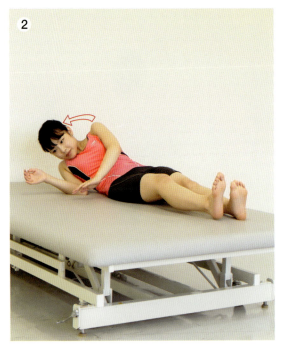

3

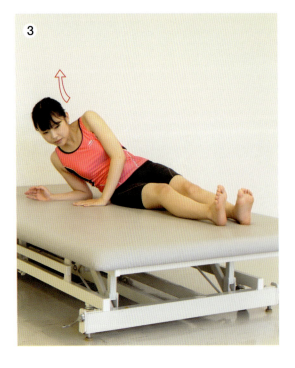

4

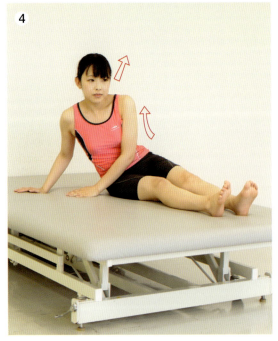

第3章 機能評価と検査

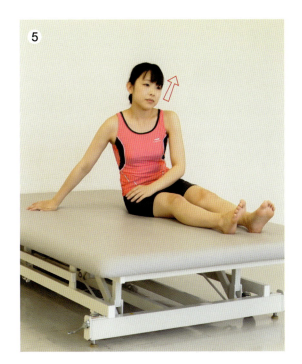

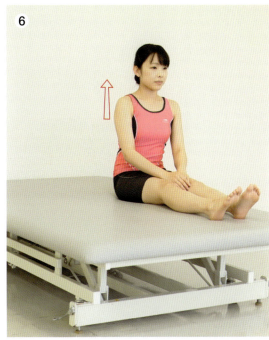

139

長座位から四つ這い位

第3章　機能評価と検査

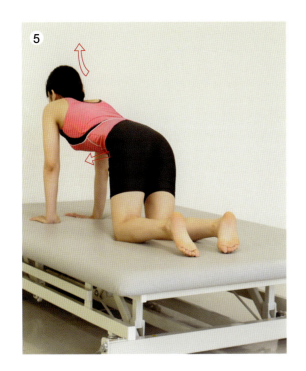

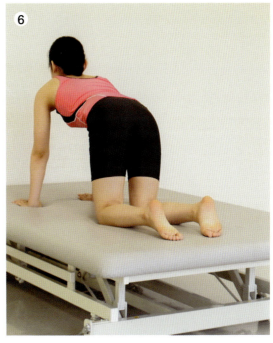

141

第3章 機能評価と検査

四つ這い位から膝立ち位

第3章 機能評価と検査

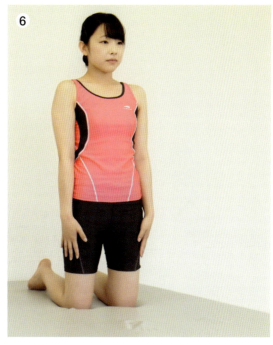

第3章 機能評価と検査

片側に肘をついた端座位から正中端座位

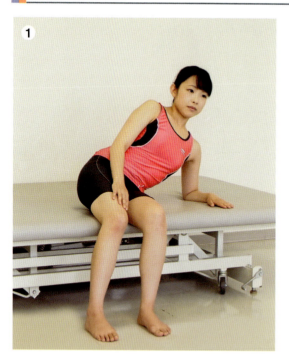

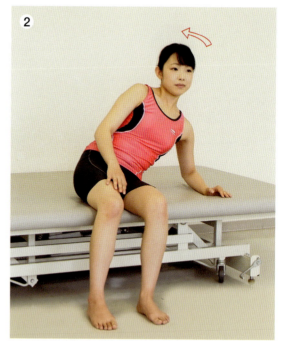

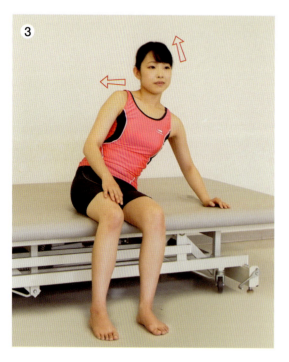

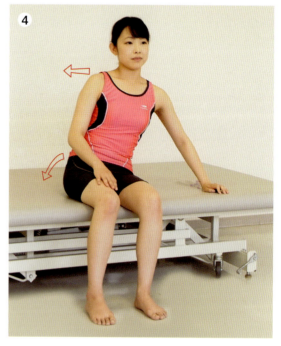

第3章 機能評価と検査

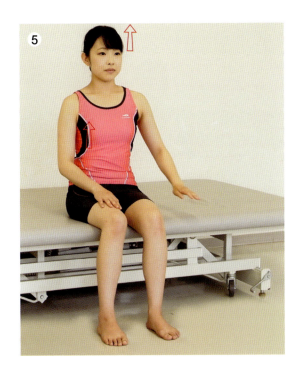

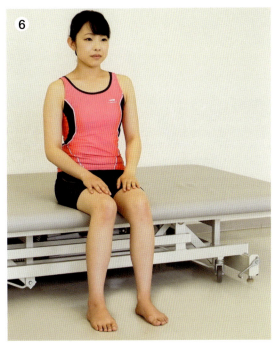

145

第3章 機能評価と検査

片側に手をついた端座位から正中端座位

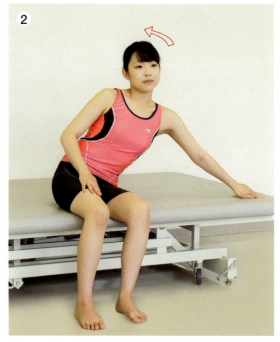

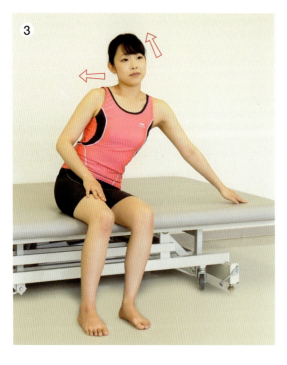

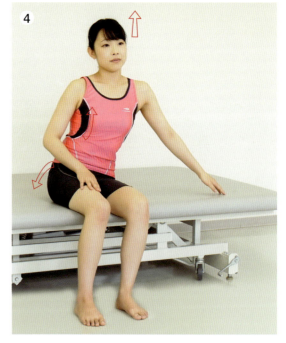

第3章　機能評価と検査

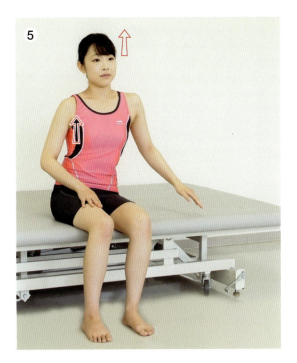

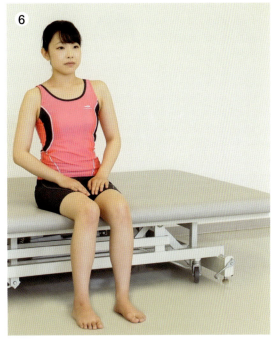

第3章 機能評価と検査

正中端座位から片側に両手をついた端座位

第3章 機能評価と検査

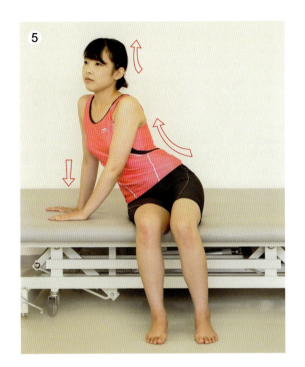

端座位での側方移動

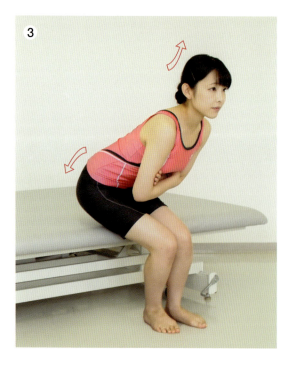

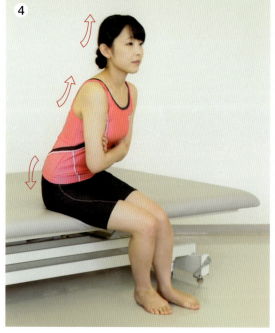

第3章 機能評価と検査

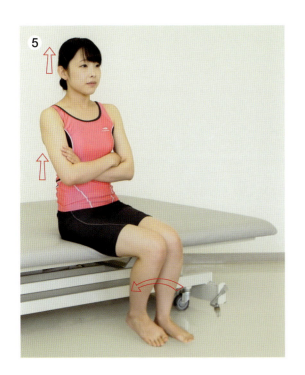

151

第3章 機能評価と検査

背臥位からの立ち上がり①―腹臥位→台支持パターン（10カ月レベル）

第3章　機能評価と検査

背臥位からの立ち上がり②―腹臥位→高這い位パターン（1歳レベル）

第3章 機能評価と検査

背臥位からの立ち上がり③─体幹部回旋（片肘立て位）→片膝立ち位パターン（3歳半レベル）

1

2

3

4

第3章 機能評価と検査

155

背臥位からの立ち上がり④──対称座位→蹲踞位パターン（6歳レベル）

第3章 機能評価と検査

第3章 機能評価と検査

椅子からの立ち上がり

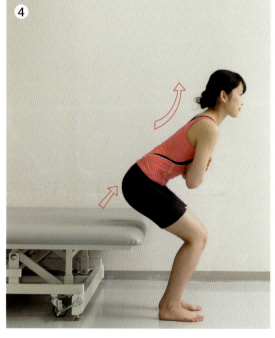

第3章 機能評価と検査

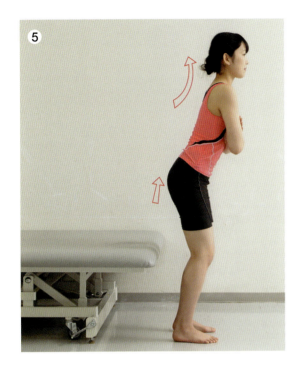

第3章 機能評価と検査

歩き出し

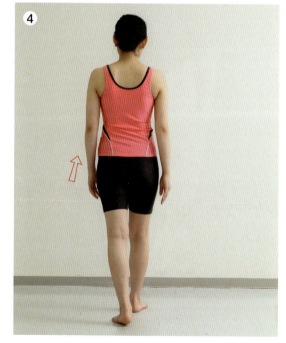

第3章 機能評価と検査

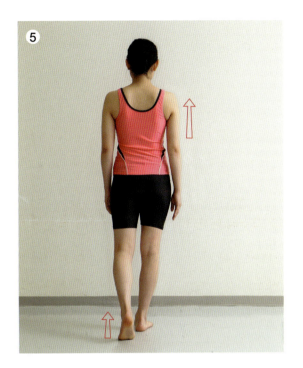

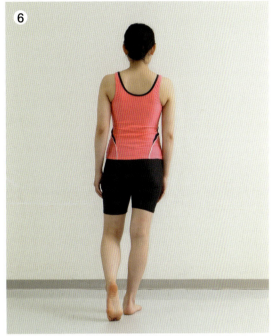

第4章 バランス評価の実際

臨床における観察と分析（症例動画）

バランス評価の実際 **1**

本書で記述してきたバランス評価における反射や反応の見方，生体力学的および運動戦略からの見方，さらに動作中にみられるバランスの見方について，症例をとおして実際の検査や観察のポイントを解説する．なお，Time は収録時間を示す．

症例 1

　男性，65 歳，疾患名「低酸素脳症」による左片麻痺を呈し，発症後約 3 カ月を経過している．ブルンストロームテスト（Brunnstrom test）による回復段階は，左上肢Ⅳ，手指Ⅲ，下肢Ⅳで，表在深部感覚の低下がある．運動機能検査では，10 m 歩行は T 字杖を使用して 15 秒 21 歩で可能，立って歩け時間計測検査（time up and go test）は 17 秒，バーグ・バランス・スケール（Berg balance test）は 51 点，バーテル・インデックス（Barthel index）は 75 点，機能的自立度評価表（FIM：Functional Independence Measure）は 93 点であった．

▶ 端座位でのバランス評価

1. 立ち直り反応の観察ポイント　Time：0：00
①左右の肩からゆっくり外乱を加えると頭部が重力方向に立ち直ることが確認できる．左右差は認められない．
②左右の骨盤帯からゆっくり外乱を加えると，右骨盤から左側方へ外乱を加えた時に，体幹の重力方向への立ち直りの低下が確認できる．また，左右差も認められる．

2. 平衡反応の観察ポイント　Time：0：30
①左右の肩から大きな外乱あるいは急速な外乱を加えると，右肩から左側方へ外乱を加えた時に，頭部と体幹重力方向への立ち直りや右側方へ側屈する平衡反応の低下が確認できる．
②下肢の反応は，左方向へ外乱を加えると右下肢は，平衡反応として若干外転運動をするが，右方向へ外乱を加えると左下肢には，若干，病的屈曲運動パターンが確認できる．
③左右上肢のパラシュート反応は出現するが，左上肢に屈曲傾向が認められる．

3. 上肢の左右方向へのリーチ動作の観察ポイント　Time：1：39
①上肢の左右方向へのリーチ動作では，左右方向とも頭部・体幹の立ち直りが認められ，戻り動作では手の離床に先立ちリーチ側と反対側への身体重心の移動が確認できる．

4. 左右への重心移動の観察ポイント　Time：2：09
①両上肢を胸の前で組んで左右へ体重移動を行うと，左側へ移動した時に体幹の立ち直りの低下が確認できる．

5. 体幹前屈運動の観察ポイント　Time：2：35
①体幹を前屈すると，左右のハムストリングに前屈運動に伴う筋収縮を触診できる．これにより，両下肢で体重支持が可能であると推察できる．

第4章　バランス評価の実際

6. 一側下肢挙上運動の観察ポイント　Time：2：47
①健側の右下肢挙上を指示すると，股関節屈曲運動に先行してわずかに左側方へ体幹が偏位し，身体重心の移動が確認できるが，これにより身体重心の移動が不十分であると推察できる．
②患側の左下肢挙上を指示すると，股関節屈曲運動に先行し，体幹を右後方へ傾斜させて体重移動することが確認できる．これにより，体幹を垂直位に維持したまま身体重心の側方移動が難しいことが推察できる．左下肢が若干屈曲運動パターンを示すことも確認できる．

7. 一側肘立て位運動の観察ポイント　Time：3：40
①左右へ肘をつく運動を指示すると，右肘立て位では頭部・体幹の立ち直りが確認できるが，左肘立て位では頭部・体幹の立ち直りが低下し，左体幹および上肢の支持性の低下が推察される．

8. 両手を側方へつく体幹回旋運動の観察ポイント　Time：4：08
①左右へ両手をつく運動を指示しても，同様に左方向へは頭部・体幹の立ち直りが少なく，左体幹・上肢の支持性の低下が推察される．

9. 端座位での左右側方移動の観察ポイント　Time：4：16
①端座位での左右への移動を指示すると，体幹の前傾から殿部離床，側方移動と一連の運動が可能であるが，若干殿部離床における足部への体重移動が少ないことが確認できる．

▶ 端座位からの立ち上がり動作の評価

1. 端座位からの立ち上がり動作の観察ポイント　Time：0：00
①前額面において身体重心が右健側へ偏位していることが確認できる．
②矢状面では健側の右足部を引き，左足部への身体重心の荷重量の低下が推察される．

▶ 立位でのバランス評価

1. 立ち直り・平衡反応の観察ポイント　Time：0：00
①立位姿勢は，右健側へ身体重心が偏位し，左肩が下降していることが確認できる．
②前額面における左右への軽い外乱刺激では，右側方向への外乱に対しては頭部・体幹の立ち直りが，また左方向への外乱に対しては頭部・体幹の立ち直りの低下が確認できる．なお，左下肢の体重支持の低下も推察される．
③矢状面における肩からの後方への外乱刺激では，右側足部は背屈反応がみられ，左足部は背屈反応がみられないことが確認できる．骨盤からの後方への外乱刺激では，右足部の踏みだし反応が確認できる．これにより，足関節戦略や股関節戦略を使用した支持基底面内の身体重心移動能力の低下が推察できる．
④前方への外乱刺激では，股関節を屈曲する股関節戦略を使用しバランスを維持しているが，身体重心の前方への移動能力の低下が推察される．

第4章 バランス評価の実際

⑤強い外乱刺激では，足部の踏みだし戦略を使用しているが，後方へ踏み出した後の体重支持や立ち直りの低下が推察できる．また，前方へは右健側の踏みだしが確認できる．

▶ 歩き出し動作の評価

1. 前方への一歩踏み出し動作の観察ポイント　Time：0：00

①右下肢の一歩踏み出し動作では，踏み出しに先行する体幹と頭部の立脚側への傾斜が確認できる．また，骨盤の左側への移動が少なく，左立脚側への身体重心移動が不十分であることが推察できる．

②左下肢の一歩踏み出し動作では，踏み出しに先行する体幹と頭部の立ち直りが確認できる．左下肢はゆっくり一歩踏み出すことができ，右立脚側への身体重心移動がなされていることが推察できる．

2. 側方への一歩踏み出し動作の観察ポイント　Time：0：38

①左右側方への一歩踏み出し動作では，右下肢側方踏み出しに比べ，左下肢側方踏み出しのほうが，踏み出し運動に先行する反対側，右側への身体重心移動が十分に行われていることを確認できる．

▶ 背臥位からの立ち上がり動作の評価

1. 背臥位からの立ち上がり動作の観察ポイント　Time：0：00

①背臥位からの立ち上がり動作では，肘立て位を経由し起き上がり，高這い位から立ち上がる運動パターンを使用したことが確認できる．起立後の立位姿勢は，左下肢を外転し，身体重心が右下肢へ偏位していることが確認できる．背臥位から座位までのバランス能力に比べ，膝立ち位や立位などの立位バランス能力の低下が推察できる．

症例 2

女性，84歳，疾患名「左視床出血」による右片麻痺を呈し，発症後約 4 カ月を経過している．ブルンストローム・テストによる回復段階は，右上肢Ⅲ，手指Ⅲ，下肢Ⅲで，表在深部感覚の低下がある．運動機能検査では，10 m 歩行は T 字杖を使用して 121 秒 55 歩で可能，立って歩け時間計測検査は 124 秒，バーグ・バランス・スケールは 30 点，バーセル・インデックスは 65 点，FIM は 94 点であった．

▶ 端座位でのバランス評価

1. 立ち直り反応の観察ポイント　Time：0：00

①左右の肩からゆっくり外乱を加えると，左方向への外乱に対しては頭部と体幹の重力方向への立ち直りの低下が，右方向への外乱に対しては頭部と体幹の重力方向への立ち直りが出現することを確認できる．

②左右の骨盤帯からゆっくり外乱を加えると，右骨盤から左側方へ外乱を加えた時は，左方

第4章 バランス評価の実際

向への外乱に対して頭部と体幹の重力方向への立ち直りの低下が確認できる．

2．平衡反応の観察ポイント　Time：0：56
①左右の肩から急速で大きな外力を加えると，右方向への外乱においては頭部と体幹の左方向への側屈と左上下肢の外転運動などの平衡反応が出現するが，右上肢のパラシュート反応は肘で支持を行っていることが確認できる．また，左方向へ外乱においては頭部と体幹の右方向への側屈が不十分であるが，右上下肢の外転などの平衡反応が出現し，左上肢のパラシュート反応は手掌で支持を行っていることが確認できる．

3．左右への重心移動の観察ポイント　Time：1：10
①両上肢を胸の前で組んで左右に上体を移動させると，右方向へは頭部と体幹の立ち直りが不十分ながら出現する．また，左方向へは体幹の側屈が確認できる．これにより，身体重心移動は左方向への移動量が少ないことが推察される．

4．体幹前屈運動の観察ポイント　Time：1：37
①体幹を前屈すると，左右のハムストリングは前屈運動に伴う筋収縮を触診できる．これにより，両下肢で体重支持が可能であることが推察できる．

5．一側下肢挙上運動の観察ポイント　Time：1：52
①左下肢挙上を指示すると，股関節屈曲運動に先行し，体幹を右側方へ偏位させて体重移動すること確認できる．
②右下肢挙上を指示すると，股関節屈曲運動に先行し，体幹を後方へ偏位させて体重移動することが確認できる．これにより，体幹を垂直位に維持したまま身体重心の側方移動が難しいことが推察できる．右下肢が若干屈曲運動パターンを示すことも確認できる．

6．上肢の左右方向へのリーチ動作の観察ポイント　Time：2：19
①上肢の左右方向へのリーチ動作では，左方向へのリーチ動作時に頭部・体幹の重力方向への立ち直りの低下が確認できる．戻り動作では手掌の離床に先行する骨盤の側方移動が左方向へのリーチ動作時に減少していることが確認できる．これにより，左方向へのリーチ動作後の手掌離床に先行する右方向への重心移動が低下していると推察できる．

7．両手を側方へつく体幹回旋運動の観察ポイント　Time：2：51
①左右へ両手をつく運動を指示すると，右側方向へは頭部・体幹の立ち直りが確認でき，右側方向へは頭部・体幹の立ち直りが少ないことが確認できる．戻り動作では手掌の離床に先行する体幹の反対方向への偏位は，左側で低下していることが確認できる．これにより，離床に先行する右側への身体重心移動の低下が推察できる．

8. 端座位での左右側方移動の観察ポイント　Time：3：07

①端座位での左右側方移動は，体幹の前傾と足部への荷重ができず，殿部離床が不十分で上体は後方へ偏位するのが確認できる．また，右側方への移動で殿部離床の不十分さと上体の後方へ偏位が著明である．これにより，立位バランスの低下が推察できる．

▶ 端座位からの立ち上がり動作の評価

1. 端座位からの立ち上がり動作の観察ポイント　Time：0：00

①前額面において，左健側への荷重量が少なく両下肢での支持が困難であることが確認できる．また，左下肢への荷重が多くなると安定性が改善することも確認できる．

②矢状面では，体幹を前傾して身体重心を足部へ移動し，殿部を離床させることが困難である．体幹を大きく前傾し，足部の支持基底面に身体重心を移動させた後，殿部を離床して起立することが確認できる．また，殿部を離床しながら足部へ身体重心を移動し，引き続き立位方向へ身体重心を上昇させる滑らかな連続動作ができないことを確認できる．着座では後方へ転倒するように着座する．これらから，下肢の筋力低下と立位バランスの低下が推察できる．

▶ 立位でのバランス評価

1. 立ち直り・平衡反応の観察ポイント　Time：0：00

①立位姿勢は，膝関節と骨盤の位置から左健側へ身体重心が偏位していることが確認できる．前額面における左右への軽い外乱刺激では，左方向への外乱に対しては過剰に応答し，外乱を緩めると右側方へ転倒することが確認できる．また，右方向への外乱に対しては右下肢で体重を支持できず，頭部・体幹の立ち直りも出現せず転倒することが確認できる．

②強い外乱を加えると，左方向への外乱に対しては左右の上肢下肢の外転運動などの平衡反応がみられるが，立位を維持できず右後方へ転倒する．また，右方向への外乱に対しては右下肢での体重支持ができず転倒することが確認できる．

③矢状面おける肩からの軽い外乱刺激に対しては，足関節戦略を用いて立位姿勢を維持しようとする運動が確認できる．骨盤からの外乱刺激に対しては，股関節戦略が出現せずに左足部の踏み出しが出現することが確認できる．これらのことから，立位姿勢における両側足部による支持基底面内での身体重心移動の低下が推察される．

▶ 歩き出し動作の評価

1. 前方への一歩踏み出し動作の観察ポイント　Time：0：00

①左下肢の一歩踏み出し動作では，踏み出しに先行する体幹と頭部の立脚側へのわずかな傾斜が確認できる．骨盤の右側への移動が少なく，左の骨盤の落下が観察され，右立脚側への身体重心移動が不十分であることが推察できる．また，左下肢踏み出しに伴う右股関節伸展と骨盤の前方移動が低下していることも確認できる．

②右下肢の一歩踏み出し動作では，踏み出しに先行する体幹と頭部の立ち直りが確認できる．右下肢をゆっくり一歩踏み出すことができ，左立脚側への身体重心移動がなされているこ

第4章 バランス評価の実際

とが推察できる．

2. 側方への一歩踏み出し動作の観察ポイント　Time：0：57

①左右側方への一歩踏み出し動作では，左下肢側方への踏み出しに比べ，右下肢側方への踏み出しのほうが，踏み出し運動に先行する反対側への身体重心移動が十分に行われていることを確認できる．

症例 3

　　男性，81歳，疾患名「脳梗塞」による左片麻痺を呈し，発症後約5カ月を経過している．ブルンストローム・テストによる回復段階は，左上肢Ⅲ，手指Ⅱ，下肢Ⅳで，表在深部感覚の低下がある．運動機能検査では，10 m歩行は要介助，立って歩け時間計測検査も要介助，バーグ・バランス・スケールは28点，バーセル・インデックスは55点，FIMは76点であった．

▶ 端座位でのバランス評価

1. 立ち直り反応の観察ポイント　Time：0：00
①左右の肩からゆっくり外乱を加えると，右方向への外乱に対しては頭部と体幹の重力方向への立ち直りの低下が，左方向への外乱に対しては頭部と体幹の重力方向への立ち直りが出現することが確認できる．

2. 平衡反応の観察ポイント　Time：0：42
①左右の肩から急速で大きな外力を加えると，右方向への外乱においては頭部と体幹の右方向への側屈が不十分であるが，左上下肢の外転などの平衡反応が出現することが確認できる．また，左上下肢には屈曲共同パターンが出現する．
②右上肢のパラシュート反応は，肘で支持を行っていることが確認できる．
③左方向へ外乱においては，頭部と体幹の右方向への側屈と右上下肢の外転運動などの平衡反応が出現するのが確認できる．

3. 左右への重心移動の観察ポイント　Time：1：03
①両上肢を胸の前で組んで左右へ体重移動を指示すると，右方向へは頭部と体幹の立ち直りの低下が確認できる．また，身体重心移動は右方向への移動量が少ないことが推察される．

4. 体幹前屈運動の観察ポイント　Time：1：54
①体幹を前屈すると，左右のハムストリングには前屈運動に伴う筋収縮が触診できる．これにより，両下肢で体重支持が可能であることが推察できる．

第4章　バランス評価の実際

5. 一側下肢挙上運動の観察ポイント　Time：2：11
①下肢の挙上を指示すると，右下肢挙上では右股関節屈曲運動に先行し，体幹を左方向へ偏位させて体重移動するが，開始姿勢から体幹が右側方へ偏位しており移動量が不十分なために右側方へ傾斜傾向にあることが確認できる．
②左下肢挙上では，開始姿勢から体幹が右側方へ偏位し，身体重心移動がなされていることが確認できる．

6. 端座位での左右側方移動の観察ポイント　Time：3：13
①端座位での左右側方移動は，体幹の前傾と足部への荷重ができず，殿部離床が不十分で上体は後方へ偏位するのが確認できる．また，着座は体幹と下肢での制御ができず，殿部が落下するように着座することが観察できる．左側方への移動では，左下肢の荷重が不十分で，殿部離床後の左側方への移動が困難であることが確認できる．

▶ 立位でのバランス評価

1. 立ち直り・平衡反応の観察ポイント　Time：0：00
①静止立位では，右側へ体幹が傾斜し，身体重心は左側へ偏位していることが確認できる．
②前額面における左右への軽い外乱刺激では，左方向への外乱に対しては左下肢での体重支持が不十分で，右下肢で体重を支持し反応しようしているのが確認でき，右方向への外乱に対しも右下肢で反応しようとして左下肢が離床する反応が確認できる．強い外乱を加えると，右側方向への外乱に対して左右の上下肢の外転運動などの平衡反応がみられるが，左下肢は屈曲運動パターンとなり立位を維持できず右後方へ転倒する．左方向への外乱に対しては，左下肢での体重支持ができず，右下肢の外転による平衡反応も出現せずに転倒することが確認できる．
③矢状面における肩からの後方への軽い外乱刺激に対しては，背屈反応が出現し，足関節戦略を用いて立位姿勢を維持しようとし，後方へ転倒することが確認できる．前方への軽い外乱刺激に対しては，足関節戦略で姿勢を維持していることが確認できる．股関節からの後方への外乱刺激では，股関節戦略が使用できず，後方へ転倒することが確認できる．強い外乱刺激に対しては，踏み直り反応による踏み出し戦略が不十分のため転倒することが確認できる．

2. 左右への重心移動の観察ポイント　Time：2：39
①左右への身体重心移動では，左側への移動量が少なく，右側への移動においては左下肢の離床が確認できる．これらのことから，患側下肢での支持性の低下により左下肢への支持基底面内の重心移動が困難であることが推察できる．

▶ 歩き出し動作の評価

1. 前方への一歩踏み出し動作の観察ポイント　Time：0：00
①右下肢の一歩踏み出し動作では，踏み出しに先行する体幹と頭部の立脚側へのわずかな傾

第4章 バランス評価の実際

斜が確認できる．骨盤の右側への移動が少なく，右の骨盤の落下と右下肢が外転し足部が外側に着床すること，さらに左骨盤の前方移動と左股関節の伸展がみられないことから，左立脚側への身体重心移動が不十分であることが推察できる．左下肢踏み出しにおいては，右下肢に身体重心が維持され，左下肢の振り出しが可能であることが確認できる．

2. 側方への一歩踏み出し動作の観察ポイント　Time：0：30
①左右側方への一歩踏み出し動作では，右下肢側方の踏み出しに比べ，左下肢側方の踏み出しのほうが，踏み出し運動に先行する反対側への身体重心移動が十分に行われていることが確認できる．これらのことから，静止立位は右側，健側へ偏位して維持できるが，支持基底面内の身体重心移動が低下していること，さらに右下肢に偏った運動パターンを示すことが推察される．

症例 4

女性，57歳，疾患名「脳梗塞」による右片麻痺を呈し，発症後約3カ月を経過している．ブルンストローム・テストによる回復段階は，左上肢Ⅴ，手指Ⅴ，下肢Ⅴで，表在深部感覚の低下がある．運動機能検査で，10m歩行はT字杖を使用して28秒26歩で可能，立って歩け時間計測検査は21秒，バーグ・バランス・スケールは32点，バーセル・インデックスは60点，FIMは70点であった．

▶ 端座位でのバランス評価
1. 立ち直り反応の観察ポイント　Time：0：00
①左右の肩からゆっくり外乱を加えると，左右方向への外乱に対しては，頭部と体幹の重力方向への立ち直りが出現することが確認できる．
②左右の骨盤帯からゆっくり外乱を加えると，右側方へ外乱を加えた時は，頭部と体幹の重力方向への立ち直りの軽度の低下が確認できる．

2. 平衡反応の観察ポイント　Time：0：48
①左右の肩に急速で大きな外力を加えると，左右ともに頭部と体幹の刺激と反対側への頭部と体幹の側屈が確認できる．

3. 左右への重心移動の観察ポイント　Time：1：12
①両上肢を体の前で組んで左右への身体重心移動を指示すると，右方向へは頭部と体幹の立ち直りが若干低下していることが確認できる．

4. 上肢の左右方向へのリーチ動作の観察ポイント　Time：1：33
①左右方向へのリーチ動作や左右へ手をつく動作では，左右方向とも頭部と体幹の立ち直りがみられ，戻り動作での離床に先行する骨盤の移動方向への偏位が確認できる．

第4章 バランス評価の実際

5. 両手を側方へつく体幹回旋運動の観察ポイント Time：1：58
①左右方向へ両手をつくように指示すると，頭部と体幹の立ち直りが確認でき，戻り動作での両手の離床に先行して頭部と体幹が移動方向へ偏位することを確認できる．

6. 端座位での左右側方移動の観察ポイント Time：2：23
①端座位での左右側方移動では，体幹前傾から足部への身体重心移動による殿部離床，さらに側方移動と連続した運動が確認できる．また，両下肢の挙上と移動も適切に行われていることも確認できる．

7. 一側下肢挙上運動の観察ポイント Time：2：38
①端座位での一側下肢挙上も体幹が安定し，股関節屈曲運動に先行するわずかな身体重心移動で左右の下肢ともに挙上できることが確認できる．これらのことから，端座位でのバランス機能は良好であることが推察できる．

▶ 端座位からの立ち上がり動作の評価

1. 端座位からの立ち上がり動作の観察ポイント Time：2：49
①体幹前傾から足部への身体重心移動による殿部離床，さらに全身を伸展し立位に移行する連続した運動が適切に行われていることが確認できる．

▶ 立位でのバランス評価

1. 立ち直り・平衡反応の観察ポイント Time：0：00
①立位姿勢は，若干左へ身体重心移動が偏位しているが，安定した姿勢を示していることが確認できる．
②左右への軽い外乱刺激に対しては，左右とも頭部と体幹の立ち直りが適切にみられることが確認できる．
③左右への強い外乱刺激に対しても，左右とも頭部と体幹の側屈，四肢の外転など平衡反応が適切に出現していることが確認できる．

2. 左右への重心移動の観察ポイント Time：0：38
①左右への身体重心移動では，右方向への重心移動量が少ないことが確認できる．

▶ 歩き出し動作の評価

1. 前方への一歩踏み出し動作の観察ポイント Time：0：00
①左下肢を一歩踏み出す時の右側への身体重心移動が少なく，右下肢での支持性が低下していることが確認できる．これらのことから，患側右下肢の支持性が若干低下しているものの，立位バランス機能は良好であることが推察できる．

第4章 バランス評価の実際

症例 5

男性，66 歳，疾患名「脳出血」による右片麻痺を呈し，発症後約 3 カ月を経過している．ブルンストローム・テストによる回復段階は，左上肢Ⅲ，手指Ⅱ，下肢Ⅲで，表在深部感覚の低下がある．運動機能検査では，10 m 歩行は要介助，立って歩け時間計測検査も要介助，バーグ・バランス・スケールは 27 点，バーセル・インデックスは 65 点，FIM は 80 点であった．

▶ 端座位でのバランス評価

1. 立ち直り反応の観察ポイント　Time：0：00
①左右への外乱刺激に対しては，左右とも頭部と体幹の立ち直りが確認できる．

2. 平衡反応の観察ポイント　Time：0：12
①外乱の強さを強くすると，右肩からの外乱に対しては右下肢の屈曲共同運動が観察でき，左肩からの外乱に対しては左下肢の外転運動が観察できる．

3. 左右への重心移動の観察ポイント　Time：0：21
①左右への身体重心移動においては，右方向への重心移動量が低下していることが確認できる．

4. 上肢の左右方向へのリーチで動作の観察ポイント　Time：0：34
①左右へのリーチ動作では，右方向へリーチ動作後，戻り動作での手掌の離床に先行する左方向への骨盤の偏位と頭部の側屈が低下していることが確認できる．

5. 体幹前屈運動の観察ポイント　Time：0：53
①体幹前屈運動では，前屈運動に伴う右側ハムストリングの筋収縮が確認でき，足部への荷重は可能だが，身体重心移動は左側へ偏位していることが確認できる．

6. 一側下肢挙上運動の観察ポイント　Time：1：06
①左下肢挙上運動を指示すると，左股関節屈曲運動に先行する体幹の右側後方への傾斜と身体重心の後方への移動が確認できる．
②右下肢挙上運動では，開始姿勢が左側へ偏位し，右下肢挙上に伴う右上下肢の屈曲共同運動パターンと体幹の右後方回旋が確認できる．

7. 端座位での左右側方移動の観察ポイント　Time：1：25
①端座位での側方移動を指示すると，左方向へは体幹前傾から足部への重心移動と，殿部離床では身体重心が左側へ偏位していることが確認できる．また，右方向へは殿部離床時に右下肢への荷重が不十分で右側への移動と着床を調整することが困難であることが確認できる．

第4章　バランス評価の実際

▶端座位からの立ち上がり動作の評価

1．端座位からの立ち上がり動作の観察ポイント　Time：0：00
①前額面においては，姿勢が左側へ偏位し，身体重心はほとんど左下肢に荷重され，左手を左膝で支持し起立していることが確認できる．矢状面においては，殿部離床時の足部への重心移動は，右踵の離床を伴い左下肢中心であるものの可能であることが観察できる．

▶立位でのバランス評価

1．立ち直り・平衡反応の観察ポイント　Time：0：00
①立位姿勢は，姿勢が左側へ偏位し，身体重心は左下肢に荷重されていることが確認できる．左方向への外乱刺激では，右方向への立ち直りと平衡反応が出現するが，右方向への刺激に対して右下肢での支持および立ち直りが低下し転倒することが確認できる．

2．左右への重心移動の観察ポイント　Time：0：33
①左右への重心移動では，右側へ移動した時に頭部と体幹は左へ側屈し，右側方への身体重心移動が低下していることが確認できる．

▶歩き出し動作の評価

1．前方への一歩踏み出し動作の観察ポイント　Time：0：00
①左下肢の一歩踏み出しに先行する右側への身体重心移動が低下していることと踏み出し時に左側の骨盤の下降が確認できる．

2．側方への一歩踏み出し動作の観察ポイント　Time：0：32
①左右への一歩踏み出し動作でも，左下肢の一歩踏み出しに先行する右側への身体重心移動が低下していることと踏み出し時に左側の骨盤の下降が確認できる．これらのことから，立位バランスは左側を中心に維持しようとしていることと，身体重心移動が低下していることが推察される．

※ 追加情報がある場合は弊社ウェブサイト内「正誤表／補足情報」のページに掲載いたします．
https://www.miwapubl.com/user_data/supplement.php

PT・OTのための測定評価シリーズ5
バランス評価—観察と計測　第2版新装版

発　行	2008年10月10日　第1版第1刷
	2015年 1月25日　第1版第3刷
	2016年 4月21日　第2版第1刷
	2024年 3月 1日　第2版新装版第1刷Ⓒ
監　修	伊藤俊一
編　集	星　文彦，隈元庸夫
発行者	青山　智
発行所	株式会社 三輪書店
	〒113-0033　東京都文京区本郷 6-17-9　本郷綱ビル
	☎ 03-3816-7796　FAX 03-3816-7756
	http://www.miwapubl.com
印刷所	三報社印刷 株式会社

本書の内容の無断複写・複製・転載は，著作権・出版権の侵害となることがありますのでご注意ください．

ISBN 978-4-89590-811-5　C 3047

本書は，「PT・OTのための測定評価 DVD Series 5 バランス評価 第2版」の DVD を Web 動画に変更したことに伴い，シリーズ名と装丁を改めた新装版です．内容に変更はありません．

JCOPY ＜出版者著作権管理機構 委託出版物＞
本書の無断複製は著作権法上での例外を除き禁じられています．複製される場合は，そのつど事前に，出版者著作権管理機構（電話 03-5244-5088, FAX 03-5244-5089, e-mail：info@jcopy.or.jp）の許諾を得てください．